OOR WULLIE

£2.20

D. C. THOMSON & Co. Ltd., GLASGOW : LONDON : DUNDEE

A

OOR WULLIE

SCHOOL

Wha's last in school,
rain, hail or sna',
Wha's homework's aye
the worst o' a',
Wha drives his teacher
up the wa'? —
OOR WULLIE!

NO
FISHING

Wha's pranks and ploys
go on non-stop,
Wha keeps auld Murdoch
on the hop,
Until, puir man,
he's fit tae drop? —
OOR WULLIE!

Wha leads his pals
wi' inspiration,
Wha fills them, whiles,
wi' trepidation,
And, sometimes, even
consternation? —
OOR WULLIE!

Wha's wily—smiley—
funny—fly,
Wha's the aipple o'
his mither's eye,
Wha gies us ALL
a laugh forby? —
OOR WULLIE!

Printed and Published in Great Britain by D. C. THOMSON & CO., LTD., 185 Fleet Street, London EC4A 2HS.

ISBN 0 85116 383-1

Twa Beanos let you see Wull's slides—

And get a load o' laughs besides!

P.C. MURDOCH
HO-HO-HO!

HE'S AWA' OOT WI' HIS CARTIE.

IS THIS AULD MAGIC LANTERN ANY GUID TAE YE, WULLIE? THERE'S SOME SLIDES O' SCOTLAND TAE GO WI' IT.
SMASHIN'. THANKS, MRS GOW!

I'LL PIT ON A SLIDE SHOW FOR THE LADS!

AND SO—
ROXY
THE BONNIE SCOTLAND SHOW
ADMISHIN 2 BEANOS
THIS'D BETTER BE GUID, WULLIE!
Wullie's Hoose

RIGHT, AH'LL JIST START THE SHOW.

BUT—
YIKES!
JINGS!

YE'LL JIST HAE TAE SIT ON THAE BIG STANES OOT O' PA'S ROCK GAIRDEN.

THAT'S MAIR LIKE IT!
ROCKSY
THE BONNIE SCOTLAND SHOW
ADMISHIN 2 BEANOS

HERE WE GO, THEN! THE FIRST SLIDE IS BEN NEVIS.
SLIDES

THAT'S NO' BEN NEVIS, THAT'S BEN McLEOD, THE TEUCHTER PIPE BAND'S BIG DRUMMER!
JINGS, THE WRANG SLIDE!

SORRY ABOOT THAT. THE NEXT SLIDE IS THE FORTH AND CLYDE CANAL.

HO-HO! SOMEBODY'S TURNED THE CANAL ON ITS SIDE TAE LET THE WATER DRAIN OOT!
OH, NO, ANOTHER MISTAKE!

AH JIST HOPE THIS NEXT ANE'S A'RIGHT!

THIS NEXT ANE'S LOCH NESS . . . MICHTY, THERE'S THE MONSTER!
SLIDES

ACH, A CATERPILLAR'S GOT ON TAE THE SLIDE!

COME ON, LADS—OOT! AND WE'RE TAKIN' OOR BEANOS BACK!

ROCKSY
THE BONNIE SCOTLAND SHOW
ADMISSIN 2 BEANOS
COME BACK, I'LL GIE YE ANOTHER PERFORMANCE—HALF PRICE!
YOU MUST BE JOKIN'!
Wullie's Hoose

CHEER UP, SON. THAT'S THE FUNNIEST THING I'VE SEEN FOR YEARS. HERE, GO BUY YOURSELF SOME BEANOS!

I'M GOIN' TAE OPEN UP FOR THE TOURIST TRADE!

Our Wullie sure is affy clever—

He's got the biggest spin-drier ever!

THERE'S NO BREEZE TODAY. THESE'LL TAK' HOURS TAE DRY.
AH'LL GET MAW'S WASHIN' DRY FOR HER!
THIS'LL DAE THE TRICK!
BUT WHEN WULLIE'S CARTIE SLOWS DOWN . . .
HELP! I CANNA SEE!
HOI!
SORRY, MISSUS!
YE WEE MONKEY. YE'RE NO' SAFE IN THAT THING!
THAT WIFIE WIS RIGHT. I'LL TRY THIS INSTEAD.
WAHEY!
BUT—
OOF!
GET AFF! WHIT DAE YE THINK THIS IS—A SPIN DRIER?
THERE'S AULD TAM BLACK IN HIS WATCHMAN'S BUCKIE.
THANKS FOR THE USE O' YER FIRE, TAM.
THAT'S NO' HALF RAISIN' THE STEAM!
BUT—
JINGS!
SORRY, SON. WE SAW THE SMOKE AND THOUGHT IT WIS A BIG BLAZE.
IT WISNAE SMOKE, IT WIS STEAM, AND IT'S ME THAT'S BLAZIN'!
LATER—
HERE, SUSIE, WID YE LIKE SOME REAL CLAES TAE WASH AN' IRON?
OH, YES, PLEASE, WILLIAM.
LATER STILL—
THANKS FOR LETTING US PLAY WITH REAL WASHING, WILLIAM.
NAE TROUBLE!
JUST WAIT TILL MA SEES HER WASHIN' A' DRY AN' IRONED!
THERE'S YER WASHIN', MA. I'LL HAE TWA EXTRA HELPIN'S O' MINCE AN' TATTIES FOR THAT.
YE'LL GET MAIR THAN YE BARGAINED FOR—WHIT HAVE YE DONE TAE MY WASHIN'?
OH, NO, THE LASSIES HAVE GIVEN ME THE WRANG WASHIN'.
WIMMEN! HUH!

Clearing snow is not much fun—

But see how Wullie gets it done!

SNOW! SMASHIN'!
I'M AWA' TAE PLAY IN THE SNOW!
NOT BEFORE YOU CLEAR THE PATH!
BUT MA . . .
NO 'BUTS'. GET CLEARIN'!
I'LL MAK' A BIG SNOWBALL AND CLEAR AWA' THE SNOW THAT WAY!
NO' BAD, EH?
HEY, MOVE THAT THING OOT O' THE WAY!
ACH, KEEP YER SHIRT ON!
CRIVVENS, THIS IS HARD WORK!
TONI'S
JINGS, I'VE PICKED UP AN EMPTY BOTTLE!
LEMONADE
THERE YE ARE, WULLIE, FIVE PENCE FOR THE BOTTLE.
TA, TONI!
MEBBE I'LL PICK UP SOMETHING ELSE.
AN AULD ROLLER SKATE!
PUFF! PANT!
THIS IS WHAT YOU NEED, MISTER.
THANKS, SONNY.
TENPENCE! GREAT!
I WONDER IF I'LL PICK UP ANYTHING ELSE?
AYE-AYE!
LOOK, DAD, THE BAG'S LEAKING!
AND SO—
THANKS, SON. THAT'LL GET TOMMY'S GOLDFISH HOME SAFELY!
ANOTHER TENPENCE! TA!
WULLIE—TIME FOR YOUR DINNER!
EAT IT UP QUICKLY AND YOU'LL BE ABLE TO GO OOT AN' PLAY IN THE SNOW.
PLAY? NAE FEARS! I'M GOIN' OOT TAE CLEAR MAIR SNOW!

What's Wullie got? An ice-cream cone?—

Or is it just a megaphone?

WOULD YE TAKE THIS PARCEL ALONG TAE No.14 GOWRIE STREET, WULLIE?
OKAY, MR GREEN.
FUNNY SHAPE! I WONDER WHAT IT IS.
MEBBE IT'S A PACKET O' GIANT CONES, FOR ICE-CREAM.
JINGS, IT WOULDNA HALF HOLD SOME ICE-CREAM!
WATCH WHERE YE'RE GOING, WULLIE!
YIKES!
HUH! WHAT A LET-DOON!
OOT O' IT!
MEBBE IT'S ANE O' THAE MEGAPHONE THINGS THAT FILM DIRECTORS USE.
ACTION—
—SHOOT!
GROCER
CRASH!
YE WEE PEST!
SORRY—IT WAS AN ACCIDENT!
I KEN—MEBBE IT'S A CLOWN'S HAT!
I SAY, I SAY, I SAY . . .
OOPS!
CARELESS WEE MONKEY!
S-SORRY, MISTER—I DIDNA MEAN IT!
No. 14 GOWRIE STREET! HERE'S YER PARCEL, MISTER.
14
THANKS, SONNY—
—I'VE BEEN WAITING FOR THESE!
THEY'RE JUST THE THING TO PREVENT ACCIDENTS!
D

A wee squirt here, a wee squirt there—

Wull's up to mischief everywhere!

WHIT'S THAT AWFY DIN?
SQUEAK! SQUEAK!
JINGS! WHIT A NOISE! AH'LL HAE TAE DAE SOMETHIN' ABOOT IT.
SQUEAK!
SQUEAK!
THIS'LL FIX IT!
Wullie's Shed
HEY! STOP! JINGS, HE CANNA HEAR ME FOR THE NOISE.
SQUEAK!
SQUEAK!
CRIVVENS! PUIR WEE CAT!
A WEE SQUIRT O' OIL—
HO-HO! HE'S SLIPPED UP! NOW TO GET AFTER MURDOCH AGAIN!
LOOK WHERE YE'RE GOIN'!
ACH! YE BIG LUMP!
YE WEE SQUIRT!
OH, YEAH? TRY THAT LITTLE SQUIRT!
NOW I'D BETTER LOOK SLIPPY!
WHIT'S WRANG, ECK?
MY BALL'S STUCK UP YON TREE.
I'LL SQUIRT IT DOON!
THANKS, WULLIE!
POLICE
PECH! PECH! NOW'S MY CHANCE!
I'M NO' DAFT! IF I OIL HIS BIKE I'LL BE IN HIS GOOD BOOKS—
—AND HE'LL MEBBE LET ME AFF NEXT TIME HE CATCHES ME PLAYIN' FITBA' IN THE STREET.
NOW, WILLIAM—RUN OFF AND PLAY IN THE PARK . . .
HELLO, MR MURDOCH, ARE YE AWA' ON YER BIKE NOW?
NO—I'M WALKING, TAE TRY TAE BREAK IN MY NEW BOOTS. THEIR SQUEAKIN'S DRIVING ME DAFT!
SQUEAK!
SQUEAK!
A' THAT WORK FOR NOTHIN'!

See Wullie's shed — it's time to patch it—

But when he tries, he sure does catch it!

JINGS, I'LL HAE TAE GET THAT HOLE IN MY SHED PATCHED UP!
I NEED A BIT O' WOOD THIS LENGTH!
COME ON, WULLIE, WE'RE HAEIN' A GAME O' AIRYPLANES! BRRRR!
NA, I'VE NAE TIME TAE RUN ABOOT LOOKIN' DAFT!
EH?
OH, WULLIE, THE VERY LAD!
JUST KEEP YOUR ARMS LIKE THAT. I'LL NO' BE A MINUTE!
HMPH!
HI, WULLIE. TAKIN' UP KNITTIN', EH?
THANKS, WULLIE.
WIMMEN!
AYE, THAT SIZE!
MINE WIZ THIS BIG!
MAK' FUN O' US, WID YE?
EH?
GET OOT O' IT!
HI, WULLIE!
CATCH!
OH, NO!
YE BIG DUMPLIN'! WHY DID YE NO' USE YER AIRMS?
OH—ER—I COULDNA!
HERE AT LAST!
SANDY MACCHIPPY JOINER.
THERE YE ARE, WULLIE—ONE BIT O' WOOD CUT TAE SIZE!
THANK GOODNESS THAT'S DONE. BUT IT'LL BE A' WORTH IT TAE GET MY SHED FIXED!
AH, THERE YE ARE, WULLIE. LOOK . . .
. . . I'VE FIXED THAT HOLE IN YER SHED. IT'S AS GOOD AS NEW NOW!
A' THAT FOR NOTHIN'!

Through dust-storm, flood and glaring sun—

Wull plans to make his cartie run!

I'LL HAE TAE ENTER FOR THAT! I'M THE FASTEST CARTIE DRIVER IN THE TOON!
GRAND CARTIE RACE
PRIZES FOR THE WINNERS
STOORIE BRAE
MONDAY

SEE YE LATER, LADS.
Wullie's Shed.

NOW, LET'S SEE . . . THERE'S A LOT O' STOOR ON STOORIE BRAE!

HELP! I CANNA SEE!

I'LL FIT THIS AULD FAN TAE MY CARTIE TAE BLAW THE DUST AWA'!

THERE'S ANITHER HAZARD AT WILSON'S MILL—THE OVERFLOW PIPE'S AYE SPOUTIN'!

OOYAH!

THAT AULD BROLLY'S JIST THE JOB!

. . . THEN THE SUN HITS YER EYES AS YE COME LEVEL WI' HILLSIDE STREET.

AARGH!

GRANPAW BROON GAVE ME THESE AULD MOTOR-BIKE GOGGLES—THEY'LL KEEP OOT THE GLARE!

AND TAE FINISH IT AFF, I'LL TAK' THIS AULD TRANNY TAE KEEP ME FRAE GETTIN' BORED, IT'LL BE THAT EASY!

WELL, LADS, WHIT DAE YE THINK O' IT? ANTI-STOOR FAN, ANTI-WATER DEVICE, AND ANTI-DAZZLE GOGGLES—AH CANNA HELP WINNIN'!
THERE'S JUST ONE THING—IT'S STARTED TAE SNOW!

JINGS, SO IT HAS!
WELL, I'M GOIN' TAE RACE ANYWAY!

IT'LL NO' BE EASY IN THIS WEATHER, BUT WE'D BETTER GO AHEAD!
CARTIE RACE

WHIT A LOAD O' JUNK! YE'LL NO' BE TROUBLED WI' STOOR NOW!
AND THE WATER PIPE WILL BE ICED UP!
AND THERE'S NAE SUN!

BUT DINNA FORGET MY TRANNY! I HEARD THE WEATHER FORECAST ON IT—AND THAT'S WHY I FITTED THIS LEVER. WATCH!

JINGS, SLEDGE RUNNERS!

WE'RE AFF! WAHEY!

THE WINNER! HO-HO!

I WIZ THE ONLY ONE TAE FINISH, SO I GOT 1ST, 2ND AND 3RD PRIZES!
CHOCS

4x3
= 9

No fisticuffs for Wullie today—

But he still floors Rock-heid Rafferty!

JINGS! WHIT HAPPENED TAE YOU LOT? DID YE HAE A SCRAP WI' KING KONG?

JUST ABOOT! ROCK-HEID RAFFERTY'S BEEN BULLYIN' US!
THE BIG PUDDEN! I'LL TEACH HIM TAE BELT MY PALS!

NOW, WILLIAM, I DON'T WANT YOU GETTING INVOLVED IN UNSEEMLY FISTICUFFS.

PROMISE ME YOU WON'T LAY A FINGER ON YOUNG RAFFERTY.
OH—ER—OKAY.

CRIVVENS, I'VE PROMISED MY PALS I'LL SORT RAFFERTY OOT, AND NOW I'VE PROMISED THE MEENISTER I WINNA LAY A FINGER ON HIM...

I KNOW WHAT I'LL DO!

EASY DOES IT...

WOOF-WOOF!
MICHTY! A MAD DUG!

OOF!

JINGS, WULLIE, YE'VE FLOORED HIM! THAT'S PAID HIM BACK!

LATER—
NOW THEN, IF I PUT THIS COIN DOON HERE...

AYE-AYE, WHAT'S THIS I SEE..?

WHAM!

THANKS, WULLIE. YOU'RE MY HERO!

THEN—
THERE'S TIGER TORRANCE, UNITED'S STAR SCORER!

DAE YE THINK YE COULD KICK A BA' THROUGH THAT HOLE IN THE FENCE?
EASY!

PRIVATE! HUH!
PRIVATE. NAE LOOKING.

PRIVATE. NAE LOOKING.
BLAM!

COME ON, ROCK-HEID. I'LL REDUCE YE TAE A PILE O' GRAVEL!
NAW! NAW! I COULDNA STAND ANY MORE TODAY!

YE MUST HAVE GIVEN HIM A RICHT BATTERIN'!
ACH, IT WIZ NOTHIN'!

WELL, I KEPT MY PROMISE TO MY PALS—AND I DIDNA LAY A FINGER ON HIM!

For a lad who aye wears dungarees—

The "jeans" he's got are sure tae please!

HOW DAE YE LIKE MY NEW JEANS, WULLIE?
HMPH! I WOULDNA BE SEEN DEID WEARING JEANS!

NEW JEANS! SNAP!

YE'LL JUST HAE TAE GET JEANS, WULLIE. A' THE LADS WEAR THEM.
AYE!

JEANS? HUH! THE DAY YOU SEE ME IN JEANS, I'LL TREAT YOU TWA TAE FISH SUPPERS AT TONI'S!

TALKING ABOOT FISH SUPPERS MAK'S ME HUNGRY.
OH, AYE . . .

. . . IF YE HAD DUNGAREES LIKE ME, YE'D BE ABLE TO CARRY A JAMMY PIECE IN YER POCKET!

JINGS, THE GASWORKS GANG!

SPLAT!
SPLAT!
SPLAT!

JINGS, MY JERSEY'S A' DIRTY. MA WILL BELT ME!
ME TOO!

HUH! IF YE HAD DUNGAREES, YER JERSEYS WOULDNA GET DIRTY!

OH, WULLIE, CAN YOU AND YOUR PALS TIDY UP MY GARDEN?
AYE, SURE, MRS MACKAY!

YOU TAK' THE SPADE, BOB AND YOU HAE THE RAKE, SOAPY.

HOW COME YE HAVENA GOT ANYTHING?

BECAUSE I CAN PIT MY THUMBS IN MY DUNGAREE BRACES, AND THAT MAK'S ME THE FOREMAN! NOW GET ON WI' IT!

AYE, WE'LL GET ON WI' IT! COME ON, SOAPY!
STEADY ON, LADS, I WIS ONLY JOKIN'.

OH, WULLIE!

YOU'D BETTER GET INTO SOME-THING DRY!

IT'S LUCKY I'VE GOT A SPARE PAIR OF JEANS!
HEAR THAT, SOAPY?

TWA FISH SUPPERS COMING... UP!

IT'S LUCKY JEAN'S IN FASHION WITH THESE DUNGAREES! HER SPARE PAIR FIT YOU NICELY, WULLIE.
TA VERY MUCH. I'LL BRING THEM BACK TOMORROW.

HO-HO! THAT FOOLED THEM!

Train spotting's oot, bird watching, too—

But there's still one thing oor lad can do!

I'M AWFY BORED!

WHAT YOU NEED IS A NEW HOBBY. THEN YE WOULDNA BE BORED!

PAW'S RIGHT. I THINK I'LL GO IN FOR TRAIN SPOTTIN'!

SO—
WHAT ARE YE DAEIN', WULLIE?
I'M TRAIN SPOTTIN'!

YE'LL NO' HAE MUCH LUCK HERE, THEN. TRAIN'S ONLY PASS HERE TWICE A DAY!
ACH, THAT'S OOT, THEN.

THAT'S IT! BIRD WATCHIN', LIKE ECKY McKEEK!

I'LL START WI' YON SWAN.

WHIT ARE YE GOWKIN' AT?
HELP!

JINGS, THAT'S A DANGEROUS HOBBY!

NOW THERE'S AN IDEA!

I'LL HAE A GO AT DRAWIN' THIS COO!

CRIVVENS!

THERE GOES MY DRAWIN' BOARD!

I SUPPOSE I COULD TAK' UP ROCK CLIMBIN'.

NAH, THAT WISNA VERY EXCITIN'. I'LL HAE TAE THINK O' SOMETHIN' ELSE.

BUT WHAT—?

GUID LAD, WULLIE. KEEP THE STREETS TIDY! AND IT WIZ CLEVER THE WAY YOU KICKED THAT CAN RIGHT INTAE THE BIN!
EH?!
LITTER

ANITHER CAN! I WONDER IF I COULD DAE IT AGAIN?

CRASH!
OH, JINGS!

HEY! I SAW THAT!
MURDOCH! I'LL HAE TAE DODGE HIM!

BAH! HE'S GIVEN ME THE SLIP!
ROVER

ACH, I'LL JUST STICK TAE MY AULD HOBBY—DODGIN' MURDOCH!

Wull helps some birdies get a swim—

And then some other "birds" feed HIM!

JINGS, IT'S CAULD!

THE GROUND'S TOO HARD FOR THE BIRDS TO DIG FOR WORMS. I'LL HAE TAE FEED THEM!

HERE YE ARE, BIRDIES!

WULLIE! STOP THAT! YE'LL JUST ATTRACT MICE TAE THE GARDEN!

I'LL GO DOON TAE THE PARK!
Wullie's Hoose

MICHTY, THE DUCKS CANNA GET FEEDIN' IN THE WATER BECAUSE O' THE ICE!

I'LL MAK' A HOLE FOR THEM!

HEY! WHAT ARE YE PLAYIN' AT? YE'VE JUST SPOILT OOR CURLING MATCH!

GET OOT O' IT!

LATER—
I'VE STILL SOME CRUMBS LEFT.

HERE YE ARE, SEAGULLS!
SQUAWK!
SQUAWK!
SQUAWK!

HOI! MY MAN'S ON NIGHT-SHIFT! HOW CAN HE SLEEP WI' A' THAT SQUAWKIN'?

CLEAR OOT O' IT!
SORRY, MISSUS!

JINGS, THAE WHEEL'S ARE SLIPPIN' ON THE ICE!

HERE'S SOME SAND, ANGUS!
GUID LAD, WULLIE!

YE'RE AWA' NOO!
GRAND! HOP IN AND GET WARM!

COME AWA' IN! YE DESERVE A REWARD!

HELP YOURSELF!
SMASHIN'!

THANKS FOR THE HELP, WULLIE!
THANKS FOR THE FEED, ANGUS!

HO-HO! IT'S A LOT MAIR FUN WHEN THE 'BIRDS' FEED YOU!
ANGUS SWAN & SONS
BAKERS.

NOO I'M ON THE LOOK-OOT FOR A STRANDED CHIP-SHOP OWNER CALLED ROBIN!

Stand by for laughs — there's lots in store—

As Wullie turns those pages o'er!

THIS IS A GREAT STORY ABOOT EXPLORIN'.

" A GREAT, UGLY, SHAMBLING MONSTER . . ."

WHAT'S THAT YOU'RE CALLING ME, WILLIAM?
EH? OH, I'M NO' CALLIN' YE ANYTHING, MR Mc NAB —JUST READIN' ABOOT THE ABOMINABLE SNOWMAN!

THAT WIZ MA TEACHER!

NOW WHAUR WAS I . . ?

AH'LL HAE A WEE REST HERE.

" A HARD, BROKEN FACE COVERED WI' A FUNGUS-LIKE GROWTH . . ."

WHIT'S THAT, YE WEE MONKEY?
OH, SORRY, BASHER— IT'S A DESCRIPTION O' A ROCK CLIMB ON A CLIFF-FACE, IN THIS BOOK. AH DIDNAE SEE YE THERE.

TO YOU, CYRIL!

OH! IT'S ALL MUD— YEUCH!

" ALL WET AND USELESS . . !"

DON'T YOU SAY THINGS ABOUT MY LITTLE CYRIL.

SORRY, I'M READIN' ABOOT THESE EXPLORERS WHO GOT THEIR MATCHES SOAKED IN A MONSOON.

AH SAYS TAE HER, " REALLY," AN' THEN SHE SAYS TAE ME, " THERE'S 3P OFF MINCE AT WULKIE'S THIS WEEK!" SO AH SAYS TAE HER . . .
BUS STOP

" A BIG FAT ROUND THING THAT WON'T STOP MAKING A NOISE."
EH?

BUS STOP
ARE YOU SPEAKIN' ABOOT ME?
OH, ER, NO— JUST READIN' ABOOT THIS SOUTH AMERICAN TOAD THAT'S AYE CROAKIN'.

LET ME SEE.

THIS ISNAE ABOOT A WEE TOAD— IT'S THE ' TOPICAL TIMES FITBA' BOOK '! YOU WERE JUST MAKIN' A' THAT UP.
OH-OH! TIME AH WISNAE HERE.

YE MUST ADMIT IT'S A GREAT WAY TAE HAE SOME FUN—UNTIL YE'RE CAUGHT BY SOMEBODY LIKE MRS Mc TURK!

Help m'boab! Wull's ploy's gone wrang—

This pogo stick's like a boomerang!

JINGS, THAT'S A GUID IDEA! I'LL MAK' A POGO STICK!

NO' BAD, EH?

WAHEY!

CRUMP!
OOYAH!

TOO STRONG A SPRING! I'LL HAE TAE FIT A SMALLER ANE!

SOON—
A WEE SPRING . . . THAT'S THE IDEA!

SMASHIN'!

BUT—
STUCK!

HOI! BRING BACK MA CELLAR LID!

I'LL HAE TAE FIT A MIDDLE-SIZED SPRING—ANE THAT WINNA STICK IN CELLAR LIDS!

HOW'S THAT?

PERFECT!

HELP! I CANNA STOP!
BOING!

HOI, WHAT'S THE GAME?
BOING!
BOING!

PHEW! STOPPED AT LAST!

HELP! HERE COMES P.C. MURDOCH!

BETTER GET RID O' THE EVIDENCE!

HULLO, WULLIE. I'M LOOKIN' FOR A LADDIE WI' A POGO STICK . . .
BOING!

OOYAH!
JINGS!

RIGHT, LET'S HAE YER NAME AND ADDRESS.

POGO STICK! HUMPH! WHA THOUGHT UP THAT STUPID IDEA?

Wull's oot o' luck. It seems he's fated—

Nae wonder he's eggs-asperated!

IT'S EASTER. HOORAY!

I'LL GET MASEL' A HARD- BOILED EGG!

CAN I HAE A HARD-BOILED EGG FOR EASTER, MA?
OH, SORRY, WULLIE. I'VE JUST USED THE LAST ANE FOR MY BAKING!

HMM! MEBBE HE'LL HAE AN EGG TAE SPARE!
EGGS WITH CARE

HAVE YE ANY SPARE EGGS, MISTER?
EGGS WITH CARE
OSTRICH

MUSEUM
OUT!
KEEP YER HAIR ON!

THERE'S AULD JOE GREEN. HE KEEPS HENS IN HIS ALLOTMENT.

DAE YE HAE ANY SPARE EGGS, JOE?
AYE, HELP YERSEL', WULLIE. I'M IN A HURRY TAE CATCH THE BUS.

GUID AULD JOE!

BUT—
SQUAWK!
CACKLE!

HELP!

HUH! I'LL HAE TAE FIND ANITHER PLACE TAE GET AN EGG.

I'VE NEVER SEEN SO MANY AULD HENS BACK THERE . . .
AYE.

HENS, EH? THAT MEANS EGGS!

ACH, IT'S THE AUCHENTOGLE AULD WIVES CLUB, OOT ON A BUS TRIP!
TOUR
CAFE

IT'S A PITY ONE O' THEM WOULDNA DROP ME AN EGG!

JINGS! JUST LIKE MAGIC!

GOT YE!

HUH, IT'S NO' AN EGG, IT'S . . .

. . . IT'S OUR RUGBY BALL! WELL CAUGHT, SONNY . . .

TAKE THIS! YOU SAVED OUR BALL FROM BOUNCING INTO THE RIVER!

HO-HO! I BOUGHT MASEL' A CHOCOLATE EGG!

Bullies crumple, lassies swoon—

As Mighty Wullie stalks the toon!

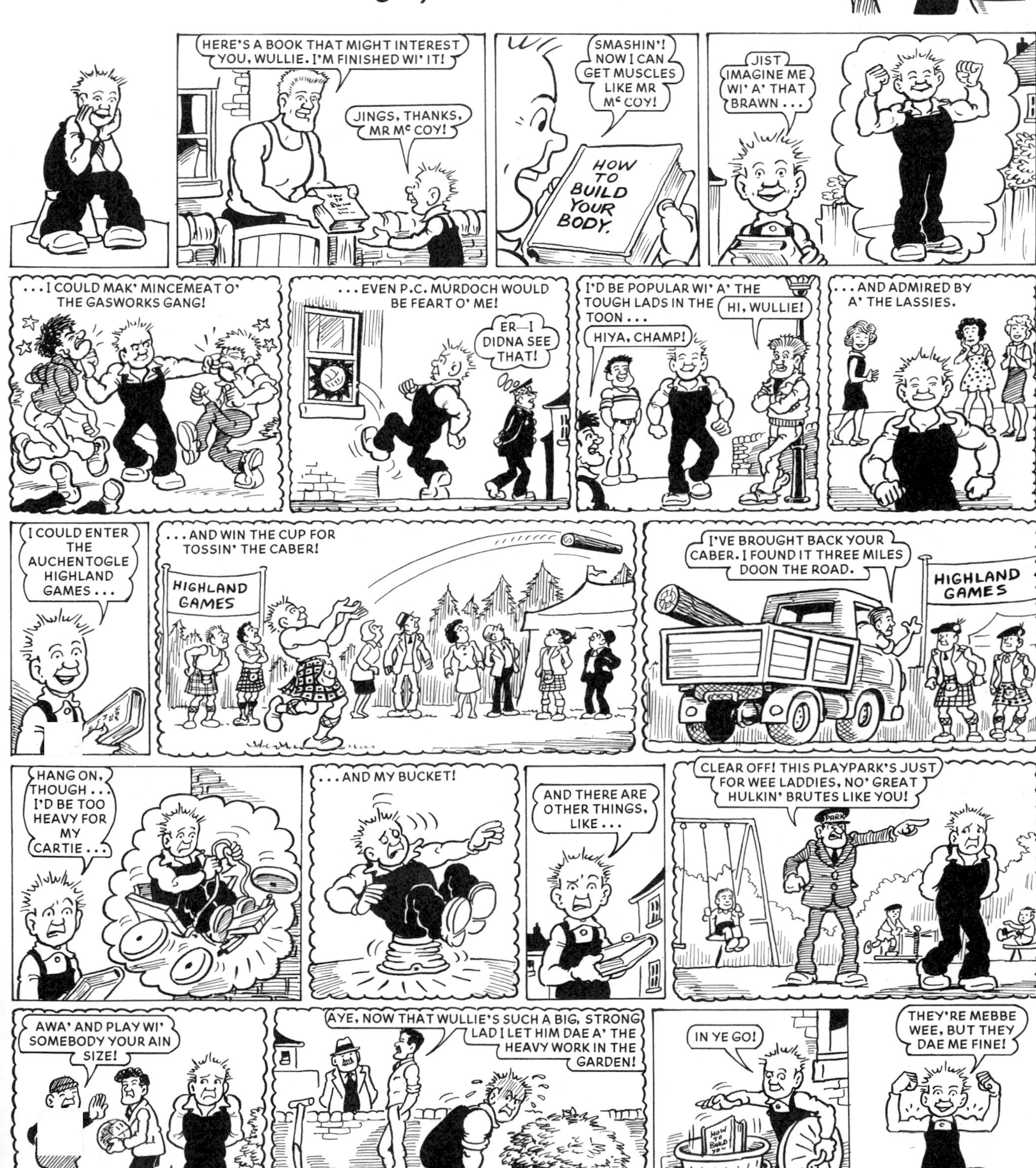

HERE'S A BOOK THAT MIGHT INTEREST YOU, WULLIE. I'M FINISHED WI' IT!
JINGS, THANKS, MR McCOY!
SMASHIN'! NOW I CAN GET MUSCLES LIKE MR McCOY!
HOW TO BUILD YOUR BODY.
JIST IMAGINE ME WI' A' THAT BRAWN . . .
. . . I COULD MAK' MINCEMEAT O' THE GASWORKS GANG!
. . . EVEN P.C. MURDOCH WOULD BE FEART O' ME!
ER—I DIDNA SEE THAT!
I'D BE POPULAR WI' A' THE TOUGH LADS IN THE TOON . . .
HI, WULLIE!
HIYA, CHAMP!
. . . AND ADMIRED BY A' THE LASSIES.
I COULD ENTER THE AUCHENTOGLE HIGHLAND GAMES . . .
. . . AND WIN THE CUP FOR TOSSIN' THE CABER!
HIGHLAND GAMES
I'VE BROUGHT BACK YOUR CABER. I FOUND IT THREE MILES DOON THE ROAD.
HIGHLAND GAMES
HANG ON, THOUGH . . . I'D BE TOO HEAVY FOR MY CARTIE . . .
. . . AND MY BUCKET!
AND THERE ARE OTHER THINGS, LIKE . . .
CLEAR OFF! THIS PLAYPARK'S JUST FOR WEE LADDIES, NO' GREAT HULKIN' BRUTES LIKE YOU!
PARK
AWA' AND PLAY WI' SOMEBODY YOUR AIN SIZE!
AYE, NOW THAT WULLIE'S SUCH A BIG, STRONG LAD I LET HIM DAE A' THE HEAVY WORK IN THE GARDEN!
IN YE GO!
THEY'RE MEBBE WEE, BUT THEY DAE ME FINE!

Oor pal's a dab hand wi' a saw—

He thinks a joiner's life's just braw!

MR McBETH, THE JOINER, FORGOT TAE TAK' HIS TOOLS AWA' WHEN HE FINISHED DAEIN' A JOB HERE, WULLIE. I'LL GIE YE 10p IF YE TAK' THEM DOON TAE HIS WORKSHOP.
OKAY!

MY, WHAT A HANDY SET O' TOOLS.

IT'S MY STICK. I SAW IT FIRST!
LEGGO! I WANT IT!
I'LL SORT THIS OOT!

THERE! NOW YOU'VE A STICK EACH!

WHAT'S WRANG HERE?

MY JAMIE'S GOT HIS HEAD STUCK IN THE FENCE!
LEAVE IT TAE ME!

I'LL SOON HAVE YE OOT, JAMIE!

THANKS, WULLIE! HERE'S 10p.

I'LL JIST NAIL THIS BACK AND GET ON MY WAY!
NAILS

SHOULD BE A GOOD GEMME ON SATURDAY. HMM . . . NOW THERE'S AN IDEA . . .
UNITED F.C.

SMASHIN' . . .

. . . NOW I'LL BE ABLE TO SEE THE GEMME FOR NOTHIN'!

OW!

WHAT'S WRANG, MR WALLACE?
I'VE TROD ON A NAIL AND IT'S GONE RIGHT THROUGH MY SOLE!

THERE—THAT'S IT OOT!

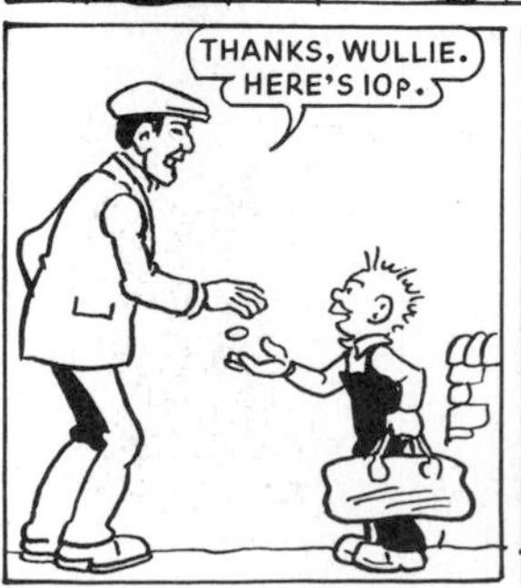
THANKS, WULLIE. HERE'S 10p.

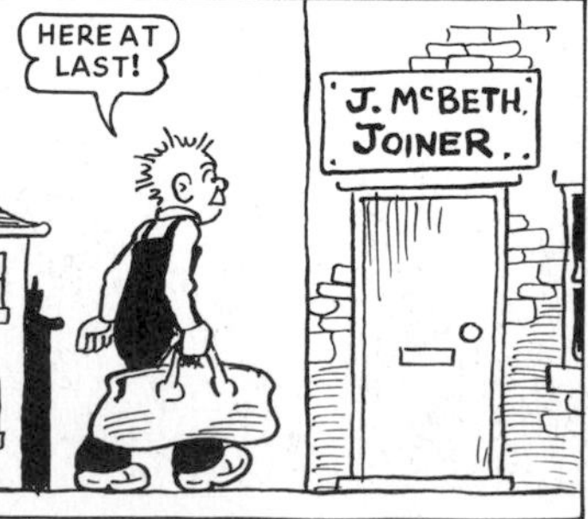
HERE AT LAST!
J. McBETH JOINER

WELL DONE, WULLIE. YE SAVED ME FROM GOIN' BACK FOR THEM. HERE'S SOMETHING TAE YERSELF!

I'M SAVIN' UP FOR A TOOL SET O' MY AIN!

Here's a chance to see—

Your pal on TV!

ARITHMETIC

HE'S AWA' OOT A WALK WI' ECK.

THERE'S JOCK DONALDSON—HE WIZ ON TV LAST WEEK.

HE PUSHED A BARROW FULL O' SEMOLINA FRAE DRUMTOGLE TAE DUNDEE WHILE WALKING BACKWARDS. RAISED £100 FOR THE AULD FOLKS' HOME.
JINGS!

AN' THERE'S ALLY DRUMMOND. HE TRAINED HIS WEASEL TAE PLAY 'ANNIE LAURIE' ON THE SPOONS. HE WIZ ON TV TAE.

WELL, AH'LL HAE TAE BE LEAVIN' YE. OOR SCHOOL'S HOLDIN' A SPONSORED MOAN-IN—WE'RE SPENDIN' 24 HOURS JUST COMPLAININ' ABOOT THINGS.

THE TV CAMERAS ARE GOIN' TAE BE THERE!

MICHTY! A'BODY'S ON TV BUT ME!

MAYBE AH COULD TRAIN JEEMY, MA MOOSE, TAE YODEL 'SCOTLAND THE BRAVE' WHILE SHOVIN' A PRAM FILLED WI' MINCE.

NA, THAT'S NAE USE—AH COULDNAE AFFORD THE MINCE.

LATER—
I'VE GOT A BRAW IDEA!

WHAUR DAE YE THINK YOU'RE GOIN'?
CRAIGIE TOWERS
SANITO
AH'M GOIN' TAE GET ON TV AS THE FIRST LAD TAE SLEDGE DOON CRAIGIE TOWERS' STAIRCASE BACKWARDS.

OH, NO YE'RE NOT! THE CLEANER'S JUST SCRUBBED THAE STEPS!
SANITO

AH'LL THINK O' SOMETHIN' ELSE!
Wullie's Shed

LATER—
AH'M GOIN' TAE CYCLE THE LENGTH O' THE STOORIE BURN.

COME OOT O' THERE—YE'LL FRIGHTEN' A' THE FISH!

ACH! AH'LL GET ON TV YET.

AH'M GOIN' TAE SKATE ON MA HANDS, A' THE ROAD TAE ABERNESS.

HELP! AH FURGOT ABOOT JOHNSTONE'S BRAE—AH'M OOT O' CONTROL.

CRASH!

WELL, AH SEE YE'RE ON THE TV AT LAST—EH?

DUMP
HUH!

ACH! WHO WANTS TAE BE ON TV WHEN YE CAN BE IN "THE SUNDAY POST" EVERY WEEK!

You'll laugh at Wullie's little game—

A tour round his ancestral hame!

HE'S AWA' VISITIN' DRUMTOGLE CASTLE.

THAT WIZ BRAW—DUNGEONS, ARMOUR, BANQUETING HALL, PAINTINGS—AND EVEN SOME LADS ACTIN' OOT AN AULD BATTLE.

AH THINK AH'LL OPEN MA HOOSE TAE THE PUBLIC.

GUID, EH?
SIR WULLIE'S ANSESTRIL HOME OPEN TO THE PUBLIC. ADMISHIN— 6 TOPPERS OR BEANOS.
WULLIE'S HOOSE.

WELCOME TAE THIS GREAT HISTORIC HOOSE, BUILT ROOND ABOOT 1905 IN THE SCOTTISH MUNICIPAL STYLE . . .

. . . DOOR HERE IS THE FAMOUS DUNGEON WHERE TERRIBLE TORTURES HAVE TAKEN PLACE . . .

AWA'! THIS IS THE COAL CELLAR—NAEBUDY GETS TORTURED IN HERE.
OH, AYE THEY DO! MA MAK'S ME CHOP FIREWID.

HERE WE HAVE PART O' A SUIT O ARMOUR AS WORN BY THE GREAT FECHTER, WULLIE THE TERRIBLE, IN 1745 WHEN HE HELPED WALTER SCOTT TAE THUMP THE REDCOATS AT BANNOCKBURN.

WALTER SCOTT NEVER FOUGHT REDCOATS!
THAT'S RIGHT, WALTER OWNS A WEE GROCER'S SHOP IN HILL STREET.

AND NOW THE GREAT BANQUETING HALL.

WHIT'S A' THIS? GET OOT O' HERE!

SOME BANQUET—WULLIE'S PA HAEIN' A FLY CUP AN' A JEELY PIECE.

UP THERE YE SEE THE VALUABLE COLLECTION O' PRICELESS PAINTINGS ASSEMBLED FRAE ALL CORNERS O' THE WORLD, AN' OTHER PLACES AS WELL . . .

THEY'RE SAE VALUABLE THAT THEY'RE UNDER CONSTANT GUARD NIGHT AN' DAY . . .
JIST COME IN, MRS WILKIE . . .

YE CAN TAK' THAE AULD PICTURES FUR YER JUMBLE SALE.

WHIT A SWIZZ!
AWA', YE'VE HUD GREAT VALUE FUR YER MONEY.

WAIT A MEENIT! THEY HUD A BATTLE LAID ON IN THE GROONDS O' DRUMTOGLE CASTLE. HUV YOU GOT ANE, TOO?
NA! NA! THERE'S NAE BATTLES AT THIS ANCESTRAL HAME.

THAT'S WHIT YOU THINK!

HUH! THAT LOT HUV NAE CULTURE!

One load o' junk goes oot, but then—

Just see what he brings back again!

I'VE BEEN CLEANING OOT YOUR SHED, WULLIE. I WANT YE TAE TAK' THIS RUBBISH DOON TAE THE DUMP.
OKAY, PA.

IT WIS GUID O' PA TAE TIDY UP MY SHED!

THAT'S IT A' DUMPED. HELLO, WHIT'S THAT . . . ?
DUMP

AN AULD CLOCK CASE WITHOOT THE WORKS! HMM . . .

. . . IT WOULD MAK' A BRAW WEE HOOSE FOR JEEMY!

I'LL KEEP THAT! AN' THERE'S SOMETHIN' ELSE WORTH HAEIN' . . .

I COULD HAE BRAW FUN WI' THIS!

AN' NOW THAT PA'S TIDIED UP MY SHED . . .

. . . I COULD USE THIS AULD BRUSH TAE KEEP IT CLEAN!
Wullie's Shed.

NOW, WHIT ELSE IS THERE . . . ?

A WEE BUCKET! THE VERY DAB!

AND AN AULD POT . . .

. . . PERFECT FOR HEATIN' MA BEANS WHEN I'M CAMPIN'!

I'LL JIST HAE A LAST LOOK ROOND . . .

HMM! THERE'S STILL PAINT IN THIS TIN . . .

. . . I CAN USE THAT!

I GOT RID O' A' THE JUNK, PA—BUT LOOK AT A' THE HANDY THINGS I FOUND!
EH?
WHIT?

HUH! I'LL NEVER UNDERSTAND GROWN-UPS! THEY MADE ME TAK' IT A' BACK!

There's peace and quiet around the toon—

Till Bob and Wullie change their tune!

I THINK I'LL GO AN' SEE BOB!

JINGS, THERE GO THE McCLOUTS, FIGHTIN' AGAIN!

YE SHOULD BE ASHAMED O' YERSEL'S, AYE FIGHTIN' AN' SHOWIN' A BAD EXAMPLE TAE US YOUNG FOLK!

THE LAD'S RIGHT, HEN! WE SHOULDNA FIGHT!

IT'S MY TURN TAE PUSH THE PRAM!
IT'S NO' YOUR TURN, IT'S MINE!

NOW THEN, THAT'S NO WAY FOR YOUNG LADIES TAE BEHAVE!
YE COULD PUSH THE PRAM TOGETHER!

THIS IS BETTER, JEANNIE!

IT'S MY BALL!
IT'S MINE!
CRIVVENS, LET'S SORT THIS OOT!

STOP A' THIS OR I'LL TAK' YE TAE THE POLIS!
YOU'RE MEANT TAE PLAY TOGETHER, NO' FIGHT!

CATCH, JIMMY!

UNITED'S THE BEST TEAM. WE'LL WIN ON SATURDAY!
AWA'! RANGERS'LL HAMMER THEM!
HUH! JIST LOOK AT THAE CLOWNS!

YE'RE A PAIR O' THICKHEIDS! IT TAK'S TWA TEAMS TAE MAK' A GAME, OTHERWISE YE WOULDNA HAE A MATCH TAE WATCH ON SATURDAY!

WHAT NICE BOYS ...

... THEY STOP EVERYBODY FROM FIGHTING!
THEY MUST BE PROPER WEE ANGELS!

HI, GANG, WAIT TILL I TELL YE ABOOT WULLIE AN' FAT BOB!

LATER—
WELL, WELL, WHAT SWEET WEE BOYS ...
AYE, JUST TWA WEE ANGELS!
GRR!

SCOFF AT US, EH? TAK' THAT!
AN' THAT!

Ma's got a scheme — or so she thinks—

To put an end to Wull's high jinks!

HERE, WULLIE. I GOT THESE GAS-FILLED BALLOONS AT OOR BAZAAR. THEY'LL KEEP YOU OOT O' TROUBLE!
OH, ER, TA, MA.

HUH! CISSY BALLOONS FOR A LAD LIKE ME!

TEA'S READY, WULLIE!
I'LL BE RIGHT IN, MA!

THEY'LL BE A'RIGHT THERE WHILE I GET MY TEA!

CRIVVENS, THEY'RE AWA' WI' MY BUCKET!

OH, JINGS!

IT'S NO' THE BALLOONS I'M WORRIED ABOOT. .

. . . IT'S MY BUCKET!
GRR!

MY CHIMNEY POT!

YE WEE SCAMP! I'LL SEE YER PA ABOOT THIS!

OH, MY BIRD TABLE!

IT'S THAT WULLIE! JUST WAIT TILL I SEE HIS PARENTS!

I'LL JUST PUT MY PLANT OOT IN THE SUN FOR A WEE WHILE!

EEK!
THUMP!
BUMP!

VANDAL!
WEE NUISANCE!

HOORAY! IT'S CAUGHT ON THAT BRANCH!

NOW TAE GET HAME!

OH, ER, YE'RE NO' GOIN' TAE BELIEVE THIS, BUT IT'S A' MY FAULT! I GOT HIM THESE BALLOONS TAE KEEP HIM OOT O' TROUBLE!

GUID RIDDANCE!

Sweets

This bully doesna half feel grim—

Wull's made a "sucker" oot o' him!

JINGS, MA'S THROWN OOT HER AULD SINK PLUNGER!

I'LL HAE SOME FUN WI' THIS!

HERE, YOU! I OWE YE A THUMPIN'!
CRIVVENS— BASHER McKAY!

WATCH THIS!

HO! HO! HAE A GUID TRIP?
OOYAH!

THAT'S FIXED HIM!

LATER—
AW, WEE JEEMY SIMPSON'S LOST HIS FITBA' IN THE BURN!

LUCKY I HAD A BIT O' STRING IN MY POOCH!

RIGHT ON TARGET!
PLOP!

UP YE COME!

THANKS, WULLIE!

THEN—
THIS BRANCH'LL MAK' A RARE BOW!

LOAD—AIM—

TWANG!
BEWARE DOG
FIRE!

JINGS, IT WINNA COME AFF!

OOCH!
CRACK!

BEWARE DOG
HELP!

NAE WONDER MA THREW THAT THING OOT—IT'S DANGEROUS!

By jings, things dinna half go wrong—

When Wullie thinks he's extra strong!

HE'S HAEIN' HIS BREAKFAST.

HERE'S YER PORRIDGE, WULLIE. IT'S MADE WI' A NEW KIND O' OATS. ' EXTRA STRONG FOR EXTRA STRENGTH '—THAT'S WHIT THE PACKET SAID.
THEN I'D BETTER HAE AN EXTRA BIG HELPIN'!
I FEEL STRONGER ALREADY!

MEANWHILE—
HMM, A WEE LADDIE COULD SNEAK THROUGH THAT HOLE IN THE WA'.

I'VE PIT A POSTER OWER THE HOLE UNTIL I GET SOME CEMENT TAE BRICK IT UP!
FOOTBALL CLUB

HI, WULLIE, HOW ABOOT A GEMME O' SHOOTIE-IN?
OKAY, BOB!

WATCH THIS CANNONBALL KICK!

JINGS, WHIT A KICK . . .
WHAM!

. . . RIGHT THROUGH THAT BRICK WA'!
GLENSHEUGH ATHLETIC V
KICK
THAE PORRIDGE FOWK WERENA KIDDIN'!

COME ON, BOB, WE'D BETTER GET OOT O' HERE!

LET'S HAE A CHUCKIE-THROWIN' COMPETITION.
YE'RE ON!

ME FIRST!

CRIVVENS! NOW LOOK WHIT YE'VE DONE!
I DINNA KEN MY AIN STRENGTH!

WELL DONE, TAM, YE BROUGHT THAT AULD LUM DOON IN BRAW STYLE!

LATER—
HI, LADS, ANYBODY WANT A WEE SHOTTIE O' MY NEW PEASHOOTER?
AYE, I CANNA DAE ANY HARM WI' THAT!

SEE IF YE CAN HIT THAT TIN CAN, WULLIE!
PUFF!

BUT JUST THEN—
GRRR!

HELP! YE'VE BLOWN DOON THE FENCE!
RUN, LADS!

LATER—
YER DINNER'S NO' READY YET, WULLIE. WID YE LIKE ANITHER PLATE O' THAT PORRIDGE TAE KEEP YE GOIN'?

PORRIDGE? NAE FEAR! THAT STUFF'S DANGEROUS!

I'LL STICK TAE MY WEE MUSCLES!

Just see the trouble Wull gets in—

When he protects a biscuit tin!

OH, WULLIE—COULD YE GO A WEE MESSAGE FOR ME?
AYE, SURE, MR SINCLAIR!

TAK' THIS BISCUIT BOX ROOND TAE MRS GOW.
AH'M ON MA WAY!
BISCUITS

JINGS, THEY'LL SMASH THAE BISCUITS IF THEY HIT THE BOX!

BETTER PIT THEM UP HERE!

OOF!

AH WELL, I SAVED THE BISCUITS ANYWAY!
BISCUITS

HELP! SHE'S KNOCKED THE TIN AFF THE WINDIE-SILL!

SAVED!

CRIVVENS, THAT WIS SAIR ON THE ELBOWS!

OH NO—MAIR TROUBLE!
BOING! BOING!

SHOVE!

BISCUITS
OOYAH!

JINGS, THAT WIS SAIR AS WELL. NEVER MIND THOUGH—THE BISCUITS ARE OKAY.

HERE'S MRS GOW'S HOOSE! THANK GUIDNESS!
13

BUT—
YIKES!
HOI! MIND OOR MARBLES!

HELP!

AH, WELL. I DIDNA LET THE TIN DROP!

HERE'S YER BISCUITS, MRS GOW!

THANKS, WULLIE. WID YE LIKE SOME?
BUT THEY'RE A' BROKEN!

THAT'S RIGHT—MR SINCLAIR AYE SENDS ME A BOX O' BROKEN BISCUITS TAE FEED THE DUCKS IN THE PARK!

DOES THAT NO' TAK' THE BISCUIT?

Help m'boab! It's a right to-do—

When in comes "i" and oot goes "u"!

WHAT A BONNY BAIRN, MRS MACKAY.
AYE, WE'RE CALLING HIM WILLIAM, AFTER YOU-KNOW-WHO!

WID YE CREDIT THAT —CA'IN THEIR WEAN EFTER ME!

HAIL, FAIR WILLIAM . . .

I'LL NEVER GET THIS ROYAL ODE FINISHED. WHAT RHYMES WITH PRINCE . . ?

WHIT'S WRANG WI' MINCE?

CHEEKY YOUNG SCOUNDREL!

OOH, WILLIAM, MAY WE WALK WITH YOU?
WE DO SO LIKE YOUR NAME, WILLIAM . . .

SOME OTHER TIME, LASSIES!
HEARTBROKEN!

LATER.
HMM, THAT'LL HAE TAE BE CHANGED.

HI, WULLIE— WHIT'S DAEIN'?

IT'S WILLIAM, IF YOU PLEASE—AND THAT'S WHIT'S DAEIN'.
WULLIE'S HOOSE
WILLIAM'S HOUSE

AWA'! YOU'RE JUST PLAIN WULLIE. YE'VE AYE BEEN WULLIE!

AH'LL HUV YE KNOW, MRS MACKAY'S CA'IN' HER NEW BAIRN EFTER ME, THE LASSIES ARE FA'IN' OWER THEMSELVES TAE BE PALLY WI' ME, AND RHYMER ROBSON'S WRITIN' A POEM ABOOT ME!
WULLIE'S HOOSE
WILLIAM'S HOUSE

AWA'! NAEBODY WID WRITE ABOOT YOU!

IS ZAT SO?
AYE, THAT'S SO!

AH'LL HUV YE KNOW AH'VE HUD MY NAME IN LOTS O' BOOKS!
PROVE IT!

ER—WELL—
CRASH!

GRR! WHA LEFT THAT PAINT TIN IN THE MIDDLE O' THE PAVEMENT?

RIGHT, LET'S HAE YER NAME . . .

OH—ER— WILLIAM!

I'M MEBBE NO' A PRINCE, BUT I GOT MY NAME IN A BOOK EFTER A'!
← CLAES PEGS

Wull's oot o' luck! Trust him tae find—

A "sun-tan" o' another kind!

MY, THAT'S A BRAW SUN TAN YOU'VE GOT, BOB!
AYE! WE'VE BEEN ON HOLIDAY IN SPAIN.

HMM! THINK I'LL HAE A SUN TAN. IT LOOKS BRAW!

JIST LIE DOON IN THE SUN FOR A WHILE AND BOB'S YER UNCLE!

ACH! GROUSER GREEN'S BURNIN' HIS GAIRDEN RUBBISH AN' THE REEK'S BLOCKED OOT THE SUN!

AH KEN WHIT TAE DAE!

WATCH THIS— INSTANT SUN TAN!

NOW A'BODY'LL THINK I'M JIST BACK FRAE TORRIE SEMOLINA OR SOME PLACE!
SNIFF!

BUT—
HELP!

MAYBE I SHOULDNA HAVE USED BEEF-FLAVOURED GRAVY POWDER!
RULES! RULES!
NO DOGS ALLOWED IN THE PARK

NAE BONFIRES HERE—GREAT!

BUT—

DROOKIT!

THERE'S ONE PLACE I WINNA GET WET . . .

LATER—
HERE, WHA'S BEEN MESSIN' ABOOT WI' MY GREENHOOSE PLANTS?
?

THE WEE DEIL! HE PIT MY PLANTS OOTSIDE SO HE COULD LIE INSIDE!

SON-TANNED!

ACH, I'M BROWNED AFF!

Nae wonder Wullie's in the huff—

That coconut is just too tough!

HE'S AWA' TAE THE FAIRGROUND.

I WON A COCONUT! GREAT!

JINGS, IT'S SO HARD, I CANNA SMASH IT OPEN!

THERE'S FATTY SIMPSON—HIS WEIGHT WILL SMASH IT.

WATCH THIS!

ACH, THE GROUND BENEATH HIM IS SOFT!

NOW I'VE GOT TAE DIG IT OOT!

A GOLFER . . . THE VERY DAB!

ONE GUID WHACK WI' HIS GOLF CLUB SHOULD DAE THE TRICK!

BUT—
HUH! FAILED AGAIN!
BOYINGGGGG!

YE WEE MONKEY!

LATER—
A ROAD ROLLER . . . THAT'LL SMASH IT!

BUT JUST THEN—
DENNER TIME, TAM!

THIS IS DRIVIN' ME NUTTY!

WHIT A DAY!

HERE, WULLIE, CARRY THAE DISHES THROUGH TAE THE ITHER ROOM—AND TAK' CARE!

HELP!
TRIP!

I'VE NEVER MET A LADDIE LIKE YOU—YE JUST GO ROOND SMASHIN' THINGS!

HMPH! THAT'S WHIT SHE THINKS!

Ye'll never guess what's on the loose—

The world's biggest-ever moose!

I THINK I'LL AWA' AN' SEE WEE JEEMY.
Wullie's Shed

HELP! JEEMY'S NO' IN HIS CAGE . . .

. . . AND SOMEBODY'S SPILT THIS FERTILISER STUFF THAT MAK'S THINGS GROW BIG!
GIANT'S -GRO

IF JEEMY'S DRUNK ANY O' THAT STUFF, HE'LL BE A GIANT MOOSE BY NOW!

JUST LOOK AT THE SIZE OF THAT HOLE HE'S NIBBLED!
AYE, WELL, HE'LL NO' GET OOT O' THAT CAGE!
JINGS, THAT SOUNDS AS IF JEEMY'S GROWN ALREADY!

BUT—
THAT'S A STRONGER HUTCH FOR THUMPER, TAM!
AYE, HE'LL NO' GET OOT TO NIBBLE HOLES IN MY LETTUCES AGAIN!

I'LL JIST HAE TAE FIND WEE—ER, I MEAN, BIG JEEMY!

RIGHT, WE'LL NEED FOWER MEN TAE SHIFT THIS MOOSE!

JEEMY!

ACH, IT'S THAT KIND O' A MOOSE!
MUSEUM

THIS IS AFFY! I STILL HUVNAE FOUND JEEMY!

RIGHT, WHAT WE NEED IS A GIANT CHEESE!
JINGS, THEY'RE TRYING TAE CATCH JEEMY!

ALL RIGHT, ALL TOGETHER . . . CHEESE!
CHEESE!

THIS IS TERRIBLE . . . I'VE SEARCHED A' OWER AND I STILL HUVNAE FOUND JEEMY.

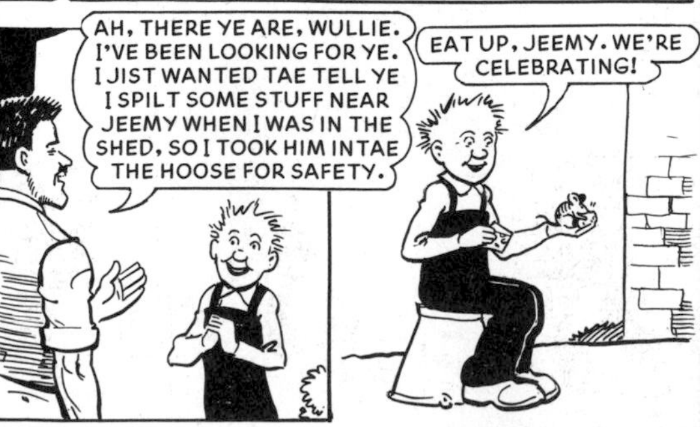
AH, THERE YE ARE, WULLIE. I'VE BEEN LOOKING FOR YE. I JIST WANTED TAE TELL YE I SPILT SOME STUFF NEAR JEEMY WHEN I WAS IN THE SHED, SO I TOOK HIM INTAE THE HOOSE FOR SAFETY.
EAT UP, JEEMY. WE'RE CELEBRATING!

Why do cowboys walk the way they do?—

The answer lies with you-know-who!

HE'S AWA' TAE THE PICTURES.

THAT WIS A BRAW COWBOY PICTURE.
SHOWING
ROASTED ON THE RANGE
STARRING ROD McGURK

RECKON AH'LL JIST MOSEY ON DOWN TAE THE OLD HOMESTEAD AND GIT MA COWBOY TOGS ON.

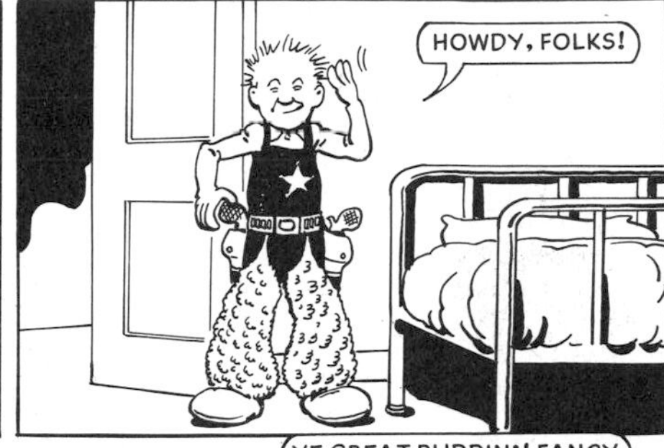
HOWDY, FOLKS!

I WONDER WHY COWBOYS AYE WALK BOWDY-LEGGED.

HI, WULLIE! CATCH!

JINGS—RICHT THROUGH MY LEGS!

YE GREAT PUDDIN'! FANCY LETTIN' IT GO THROUGH YER BOWDY LEGS! THAT'S YOU FINISHED AS OOR GOALIE.

HMPH! COWBOYS DINNA PLAY FITBA'!

TCH! WHAT A CHEEK!
CLOSE MOOTH

WEE DE'IL! MAK' FUN O' MY LEGS, WID YE?
OOER!

JINGS, COWBOYS MUST HAVE HAD AN AWFY TIME WALKIN' ABOOT WI' THEIR BOWDY LEGS.

I'LL TAK' THE SHORT-CUT TAE THE PARK . . .

OOYAH! JINGS! I'LL HAE TAE GIE UP WALKIN' LIKE THIS.
THUD!

I'LL DAE SOME GUN-SLINGING INSTEAD.

OOPS! THAT'S THE WRANG KIND O' SLINGING!

CLUNK!
OOYAH! OOF!
CLONK!

TIME TAE GO!

YIKES!
TRIP!

HMPH! NOW I KEN WHY COWBOYS WALKED BOWDY-LEGGED—IT WIS TAE STOP THEIR GUN-BELTS FALLIN' DOON OWER THEIR KNEES AN' TRIPPIN' THEM UP!

SILENCE

A yacht becalmed? See Wullie's wheeze—

He quickly conjures up a breeze!

HERE, WULLIE—I'VE SOMETHING FOR YE.

THEY'VE BEEN IN OOR ATTIC FOR YEARS, BUT YE'LL MAYBE GET SOME FUN WI' THEM!
BAGPIPES! JINGS, TA!

ACH, I CANNA REACH UP TAE THAT BASKET!

?
HANG ON, MISS WATSON!

SKOOSH!

THANKS, WULLIE!
20P

WAA! ME WANT MY BOAT!
I CAN'T REACH IT!

AH'LL GET IT FOR YE, MISTER, WATCH THIS!

ONE BREEZE COMING UP!
WHOOSH!

GOT IT!

THANKS, SONNY!
10P

LATER—
GET OOT! YE'RE AYE DIGGIN' UP MA PLANTS, YE BIG MUTT.

AH'LL CURE YER DUG, MR GREIG.

SOON—

MICHTY! A DUG FRAE OUTER SPACE!
SHEER TERRIER

YE'LL NO' BE BOTHERED WI' HIM AGAIN!

NOW FOR SOME MUSIC!

MICHTY! WHIT A DIN! YE'LL NEVER MAK' YER FORTUNE AS A PIPER, WULLIE!

WHIT DAE YE MEAN? MY PIPES HAVE EARNED ME 50P ALREADY. I'M A PROFESSIONAL!
EH?

-I THINK I'LL CONCENTRATE ON THIS SORT O' PIPE PLAYIN'.

Tossing the caber, putting the shot —

When Wullie tries, it's a laughalot!

DRUMTOGLE HIGHLAND GAMES ON SATURDAY! AH'LL HAE TAE ENTER FUR THAT!
DRUMTOGLE HIGHLAND GAMES
SATURDAY

HERE'S A BRAW POLE— I'LL DAE SOME CABER THROWIN' PRACTISIN'.

HERE, THIS IS EASIER THAN AH THOCHT!

HEY! WHAT ARE YE DAEIN' WI' THAT TELEGRAPH POLE?

ACH! IT WISNAE ME THAT LIFTED IT—IT WAS THE CRANE!

AH'LL HAE A GO AT PUTTIN' THE SHOT.

THIS'LL DAE NICELY.

JINGS! WHERE'S IT GOIN'?

LET GO THAT BALL—I WANT TAE SWEEP THE LUM!
ACH!
SOOT

WELL, AH'LL NO' BE MAKIN' A CLEAN SWEEP O' THE SHOT PUTTIN', THAT'S FUR SURE!

HAMMER- THROWIN'— NOO THAT'S SOMETHING I COULD TRY!

HEAVE!

JINGS!

MY PIECE- BOX!

WEE DE'IL!
TIME TAE GO!

SATURDAY–
HAVE YE SEEN WULLIE? HE TELT ME HE WIS GOIN' TAE BE TAKIN' PART IN THE GAMES!
AYE, BOB, HE'S ROOND THE BACK O' THE REFRESHMENT TENT—HE SAID HE WIZ GOIN' TAE DAE SOME PIPIN'.

JINGS! A PIPE FRAE THE ORANGE JUICE MACHINE.
SOOK

HO- HO! IT'S A PITY THEY WERENA AWARDIN' PRIZES FOR THAT KIND O' PIPIN'!

Wullie's latest box of tricks —

Lands his chums in a bonny fix!

HERE, WULLIE, CAN YE MAKE USE OF ANY O' THIS STUFF? IT'S MY SON'S AULD TOY BOX!
SMASHIN'! THANKS, MRS WHITE!

JINGS, A BOX O' PRACTICAL JOKES.

LATER.
HI, BOB, CAN I TAK' YER PHOTIE?
EH? OH, AYE, SURE!

I'LL BET IT'S A TRICK CAMERA THAT SQUIRTS WATER!

HANG ON, WULLIE. YOU'RE BETTER LOOKIN' THAN ME—I'LL TAK' YOUR PICTURE!
OH, ER, OKAY THEN!

FOOLED YE THAT TIME, WULLIE. NOW I'LL GIE YOU A GUID SOAKIN'.

BUT . . .
THERE WIS NAE WATER! IT MUST BE A REAL CAMERA AFTER A'.
AHEM!

YE'VE GOT A BLACK EYE, BOB!
HO-HO! CHEERIO, BOB!

THEN—
HELLO, ECK. LIKE TAE SMELL MY BONNY FLOWER?

IT'S A TRICK FLOWER! YOU CANNA FOOL ME!

LOOK— I'LL SHOW YE!

BUT—
GROOGH!
HO-HO! I KNEW YOU'D DAE THAT, ECK! FOOLED YE!

NEXT—
HELLO, SOAPY. WID YE LIKE TAE LOOK AT THAT SHIP THROUGH MY NEW TELESCOPE?
AYE, BUT LET'S HAE A LOOK AT THE TELESCOPE FIRST. I'VE HEARD ABOOT YOU AN' YOUR TRICKS. IT'LL LIKELY HAE INK ROOND THE EYEPIECE!

WRANG AGAIN. IT WIS FULL O' WATER!

LATER STILL—
HI, WULLIE, HAE A CHOCOLATE.
NO' LIKELY! I BET THEY'RE FULL O' MUSTARD OR SOMETHING!
WANT A READ O' MY BOOK, WULLIE?
NAE CHANCE! THERE'LL BE A BOXIN' GLOVE ON A SPRING INSIDE!

HOW ABOOT A SHOT O' MY NEW PEN?
AWA'! YE CANNA CATCH ME—IT'LL HAE SNEEZIN' POWDER THAT SQUIRTS IN YER FACE!

FANCY THINKIN' THEY COULD CATCH ME WI' THEIR AULD-FASHIONED TRICKS!
CHOCS

OCH, AYE, I'M OWER SMART FOR THE LIKES O' THEM!

WID YE BELIEVE IT— THEY SWOPPED MY BUCKET FOR A CARDBOARD ANE!

There's fun non-stop —

Till he's caught "on the hop"!

HMM! THE LAST APPLE ON GROUSER GREEN'S TREE . . .

MEBBE I COULD SHOOT IT DOON WI' MY BOW AND ARROW . . .

NAW, WHEN I TRIED THAT LAST YEAR I MISSED THE APPLE . . .

. . . AND CAUGHT A WASPS' BIKE!

I COULD TRY POLE VAULTING FOR IT . . .

BUT WHEN I TRIED THAT THE YEAR AFORE . . .

. . . THE POLE WENT DOON GROUSER'S COAL CELLAR.

I COULD GET OOT MY STILTS . . .

. . . BUT THE LAST TIME I TRIED THAT . . .

. . . I DIDNA SEE WEE ALEC BLACK'S TOY LORRY ON THE PAVEMENT!

OUCH!

MY AULD POGO STICK! I SHOULD'VE THOUGHT O' THAT BEFORE!

AND SO—
HERE I COME!

BUT—
OOYAH!

JINGS, WHIT'S THIS?

WID YE BELIEVE IT, WULLIE —AN APPLE, RIGHT OOT O' THE SKY!

THERE'S NAE JUSTICE!

Wull tries his brand new wellies oot —

And very soon gies them "the boot"!

LIKE MY NEW WELLIES?

BRAW AND SHINY, EH?

BUT—
GRRR!

AWA' YE GO, YE DAFT DUG—IT'S YER AIN REFLECTION YE'RE SEEING!

ACH, WELL, WELLIES ARE RARE AN' SOFT AN' COMFORTABLE!

KICK OOR BA' BACK, WULLIE!

OOYAH!

JINGS, WELLIES ARE TOO SOFT FOR KICKIN' FITBAS.

THERE'S AULD TAM HAVIN' A SEAT! I'LL GO AN' SEE HIM.

RARE DAY, TAM.
AYE.

SOMETHING'S BURNING!

IT'S YER WELLIES— THEY'RE MELTIN'!

OOOO!

PHEW!
HSSSSSS!

ACH, WELL, THERE'S ONE THING—WELLIES ARE GRAND FOR KEEPIN' YER FEET DRY.

THERE'S P.C. MURDOCH WATERING HIS GARDEN. I'LL AWA' AN' HAE A CHAT WI' HIM!

HELLO!

EH . . . OH!

SORRY, WULLIE, YE GAVE ME A FRIGHT, SNEAKING UP WITHOUT A SOUND. I CAN USUALLY HEAR YOUR TACKETTY BOOTS A MILE AWA'!

GIE ME A PAIR O' DIRTY, HARD, NOISY BOOTS ANY TIME!

Nae wonder Wullie's feeling grim —

The outlook's really black for him!

AUNTIE BELLA'S WRITTEN TAE SAY SHE'S GOING TAE VISIT US TODAY.
FRISKY FLAKES

SEE AND KEEP YERSELF CLEAN, WULLIE. BELLA LIKES A TIDY LADDIE!

MIND WHAT I SAID NOW . . . DINNA BE GOING AND GETTING YERSEL' A' MUCKY.

WULLIE'S BAD SELF
PSST! IF YE GOT YERSELF MESSED UP, AUNTIE BELLA WIDNA WANT TAE KISS YOU!

AND SO—
GREAT SAVE, WULLIE!
SQUELCH!

NO' BAD FOR STARTERS, WULLIE!

NEXT—

PERFECT!

BETTER THAN EVER!

LATER—
HI, ECK—HOW ABOOT A MUD FIGHT?

AND SO . . .
SPLAT!
SPLAT!

SMASHIN'! BELLA WINNA GO NEAR YOU NOW!

SO-LONG, WULLIE!

CHEERIO, ECK!
SOOT

YIKES!

JINGS, WULLIE, THAT'S MY FAULT FOR LEAVING MY SACK THERE.

YE'D BETTER COME IN AND GET CLEANED UP AFORE YER MOTHER SEES YE . . .
AYE, BUT . . .

BACK HOME—
AH! THAT'LL BE WULLIE NOW.

MY, SUCH A SPOTLESS YOUNG MAN! COME AND GET A KISS FROM YOUR AUNTIE!

BLUSH!

HMPH! DAFT SWEEP! A' THAT SCHEMING FOR NOTHING!

Oor Wullie's watch is really great —

It's guaranteed to make you — late!

THAT'S THE FIFTH TIME THIS WEEK YOU'VE BEEN LATE, WILLIAM! I'M GIVING YOU A NOTE TO TAKE TO YOUR FATHER!

AND SO . . .
LATE EVERY DAY, EH!
. . . BUT PAW, I DINNA HAE A WATCH . . .

NEXT DAY—
THERE! NOW YE WINNA BE LATE FOR SCHOOL . . .
SMASHIN'! A WATCH WI' AN ALARM THAT PLAYS TUNES!
WATCHES

MONDAY MORNING—
JINGLE BELLS, JINGLE BELLS
THE DANDY BOOK
THERE GOES MY ALARM! TIME TAE GET UP!

8.45
HI, LADS!
JINGS, DAE YOU SEE WHA I SEE? WULLIE—EARLY!

HOW COME YOU'RE EARLY?
AYE, HOW DID YE MANAGE TAE GET UP THIS MORNING?

I'VE GOT A NEW WATCH— ANE O' THAE FANCY ANES . . .

LOOK, PRESS THIS BUTTON AND IT TURNS INTAE A STOP WATCH . . . GO ON, RACE DOON TAE THE CORNER AND BACK AGAIN AND I'LL TIME YE.

. . . TEN . . . FIFTEEN . . .

PUFF!
PANT!
TWENTY THREE SECONDS . . . NO' BAD!

NOW LISTEN . . . WHEN I PRESS THIS BUTTON, IT PLAYS A TUNE THAT WAKES YE UP.

IT'S TAKIN' A LANG TIME.
PATIENCE!

THERE!
GREAT!
JINGLE BELLS, JINGLE BELLS

COME INTAE TAM GREEN'S CELLAR AND YE'LL SEE WHAT HAPPENS WHEN I PRESS THIS OTHER BUTTON!

SEE, THE WATCH FACE LIGHTS UP!

AND PRESS THIS BUTTON AND IT TELLS YE THAT IT'S HALF-PAST MIDNIGHT IN TIMBUCTOO . . .

WHAT HAPPENS WHEN YE PRESS THIS BUTTON?
THAT? OH, THAT TELLS YE THE TIME IN THIS COUNTRY . . . TEN PAST NINE . . .

TEN PAST NINE . . !

YE DAFT SKITE! YE WERE SO BUSY TELLIN' US ABOOT A' THE OTHER THINGS YER FANCY WATCH COULD DAE, YE FORGOT A' ABOOT THE TIME!

TEACHER'S NO' VERY PLEASED WI' ME! NEITHER'S PA!

Although this "glass" is fake, it's plain

Wull soon will have a different "pane"!

WHAT'S IT TAE BE THEN . . . A HIKE UP TOORIE BRAE OR A GEMME O' FITBA'?
ACH, IS THERE NOTHIN' NEW WE CAN DAE?

STAND ASIDE, LADS!

GLASS!
AYE—KEEP CLEAR!

THERE'S AN IDEA. LET'S HAE SOME FUN . . .

AND SO—
LOOK OUT, WIFIE . . .

. . . GLASS!

MIND OOR GLASS, MISTER!

JINGS, THAT WIS CLOSE. WELL DONE, MISTER!

LOOK OUT, LADS.
SHOOT!

GLASS!
HURRY UP, THEN!

LOOK OUT, BOB!

HUP!

SORRY, LADS!
JINGS, THAT WIS A NEAR THING!

MIND OOT, FOLKS— GLASS!
THIS WAY, LADS!

CAREFUL WI' IT!
THANKS, MR MURDOCH!

HI, LADS.

LIKE A JELLY BEAN?
SMASHIN'!

SO! GLASS, EH?
OH—ER—

I'LL SEE YER FAITHER!

ANOTHER KIND OF 'PANE'!

A thump on the heid —

Brings trouble indeed!

LET'S GO FOR A WALK, PAL!

THERE'S FAT BOB HELPIN' SOAPY BUILD A FENCE FOR HIS DAD.

HI, LADS. NEED ANY MAIR HELP?
NO THANKS, WULLIE. WE'RE MANAGIN' FINE.
PHEW! THIS IS HEAVY!

ONE BIG HEAVE AND . . . OOPS! SORRY, WULLIE!
OOYAH!
DUNT!

ARE YE A'RIGHT, WULLIE? THAT WIS AN AFFY THUMP YE GOT!
RUB!
ACH, I'M A' RIGHT! WE'VE HARD HEIDS IN OOR FAMILY!

HE SEEMS FINE.
AYE, THANK GUIDNESS!
AH WELL, I'LL GO FOR THAT WEE WALK.

SUDDENLY—
YAROO! THAT WIS SAIR!
LOOK! HE'S ACTIN' AFFY FUNNY!
MEBBE THAT THUMP AFFECTED HIS MIND!

SOME DAY WE'LL FLY IN ONE O' THEM, PAL!
NOW HE'S TALKIN' TAE HIMSELF!
WE'D BETTER KEEP AN EYE ON HIM UNTIL HE GETS HAME!

ISN'T IT A BRAW DAY.
AHA! I OWE THON WEE PEST A THUMPIN'!
LOOK—PUG WILSON! HE CANNA HIT WULLIE IN HIS CONDITION!

QUICK, BOB—KEEP AFTER WULLIE. I'LL—ER—SEE TAE PUG!
GULP! GOOD LUCK!
OOF. GRR . . .

YAROO! YE'VE DONE IT AGAIN!
JINGS, HE'S ACTIN' QUEER AGAIN!
WULL . . . GLUG!
HOI! MIND MY LADDER!

JINGS, PUG MUST HAVE PUT UP SOME FIGHT!
NEVER MIND THAT! YOU'VE LOST WULLIE!

LOOK! THERE'S YOUR FAVOURITE BUN!
THERE HE IS, STILL SPEAKIN' TAE HIMSELF!

YAROO! THAT DOES IT—WE'RE GOIN' HAME!
WAA!
HE'S AT IT AGAIN!

WHIT A SIGHT! YE'RE FRIGHTENIN' MY BAIRNS.
WAA!

GO ON, BEFORE I CA' THE POLIS!
THIS IS A' YOUR FAULT!
ACH, I DIDNA MEAN TAE KNOCK WULLIE DAFT!

CRIVVENS, WHIT'S HAPPENED TAE YOU TWA?
PECH! NEVER MIND THAT—ARE YOU A'RIGHT?

A'RIGHT? OF COURSE I'M A'RIGHT!
THEN WHY DID YE KEEP LEAPIN' IN THE AIR?
AYE, AND TALKIN' TAE YERSEL'?

I WIS TALKIN' TAE JEEMY, YE DAFT GOWKS! HE WIS INSIDE MY SHIRT AND KEPT NIPPIN' ME TAE REMIND ME IT WIS HIS DINNER TIME!
GRR! A' THAT WORRY FOR NOTHIN'!

WULLIE'S HIDING

Eck gets some chessies, Fat Bob, too —

But jings, there's none for you-know-who!

Sweets

I'LL GO AN' SEE THE LADS.
LOOK AT THAE CHESSIES. PITY WE CANNA REACH THEM!
AYE, AND WE DINNA DARE GO INTAE MRS MACNAB'S GAIRDEN TAE LOOK FOR SOME!

AWA'! I'LL SHOW YE HOW TAE GET SOME!

I'LL REACH THAT BRANCH FROM UP HERE!

BUT—
AYE, AYE. WHAT'S GOIN' ON HERE?
EH?

OH—ER—I WIS JIST PRACTISIN' MY TIGHT-ROPE WALKIN'. I'M JOININ' A CIRCUS NEXT WEEK!
NANE O' YER CHEEK. GET DOON AFF THAT WALL!

THAT'S BETTER.
THUD!

JINGS, THAT THUMP WIS ENOUGH TAE SHAK' SOME CHESSIES AFF THE TREE!
THANKS, WULLIE!

LATER . . .
THIS IS A BETTER IDEA!

NOW TAE PULL THAT BRANCH DOON . . .

BUT . . .
HO-HO! COME TAE SOAPY THEN!

NEXT . . .
I'LL USE MY BUCKET . . .

THEN . . .
YIKES!

DAFT DUG!

OH, MY POOR TIBBY, TRAPPED UP THE TREE!

I'LL GET HER DOON FOR YE, MRS MACNAB. WHAUR'S YER LADDER?

DOON YE COME, TIBBY.

SMASHIN'! SHE LET ME HELP MYSEL' TAE AS MANY CHESSIES AS I WANTED.

I'M THE ONLY ONE THAT DIDNA GET ANY CHESSIES!

Twa crafty schemes tae mak' Wull grow —

Do they work? Well, look below!

THERE'S TAM WATSON MENDING THE FITBA' PITCH FENCE.

AH, WULLIE, WILL YE MIND MY TOOLS WHILE I NIP BACK TAE THE WORKSHOP FOR SOME NAILS?
AYE, SURE!

JINGS, SEE THAT KNOT-HOLE! IF I WIS ABOOT THREE INCHES TALLER I'D BE ABLE TO SEE INTAE THE PITCH EVERY TIME— FREE!

THANKS, WULLIE!
THAT'S OKAY!

HOW CAN I GROW TALLER?

LATER
I'LL JUST SEE HOW MY PLANTS ARE GROWING IN MY GARDEN FRAME.

EH? WULLIE!

GET OOT O' THERE!
ACH, I WIS JUST TRYIN' TAE GROW TALLER!

I'LL HAE TAE FIND ANOTHER SCHEME. LET'S SEE NOW . . .

THIS'LL STRETCH MY LEGS!
AND THEY'VE THE CHEEK TAE CA' ME A DUMB BRUTE!

BUT—
HEY! STOP! I'M NO' MEANT TAE SLIDE ALONG!

OOYAH!
BONK!

THAT DIDNA WORK EITHER. MAYBE I SHOULD LOOK UP A BOOK TAE SEE HOW TAE MAK' THINGS GROW . . .

BOOK! THAT'S IT. THAT'S A' I NEED!

SATURDAY—
JINGS, THIS IS SOME WEIGHT, BUT IT'LL BE WORTH IT!

FITBA, HERE I COME . . . OH, NO!

FANCY NAILING IT ON UPSIDE DOON!

HMPH! A' I SAW WIS FOWKS' FEET!

Wull needna be in such a tizz —

He's clean forgotten whit day it is!

HE'S IN HIS SHED!

THAT'S IT FINISHED. NOO TAE TRY IT OOT!

WULLIE! WHAUR ARE YE? IT'S TIME YE WERE IN!
NO' LIKELY!

IT'S OWER EARLY TAE BE GOIN' IN, AND ANYWAY, I'VE TAE SAIL MY NEW BOAT.

MICHTY! THE PARK POND'S DRAINED!

I'LL TRY THE FOUNTAIN IN CULLEN SQUARE.

HERE WE ARE!

SMASHIN'!

HELP! A MONSOON!

SORRY, WULLIE. AH DIDNAE SEE YE THERE. WE'RE TESTIN' THE FOUNTAIN FOR THE GALA DAY NEXT WEEK.

I'LL TRY THE BURN!

HELP! ENEMY DUCKS!

LATER—
GREAT—FAIRMER GREEN'S GOT A TUB O' WATER IN HIS YARD!

IT'S EVEN WARM.

BUT—
HELP!

SORRY, WULLIE—I DIDNA SEE YE THERE!

I'M MIXIN' UP THE HENS' MASH. THAT'S WHY THE WATER'S HOT.
HMPH!

WULLIE! HAVE YE FORGOTTEN WHAT NIGHT IT IS? WHAUR HAE YE BEEN?

JINGS, FANCY FORGETTIN' THAT!

A' THAT TROUBLE! IF ONLY I'D MINDED IT WIZ BATH-NIGHT! NOW TAE LAUNCH MY BONNIE BOAT!

WID YE BELIEVE IT—IT SANK!

A length o' string, twa syrup tins —

Wi' stuff like that, Wull brings ye grins!

JINGS, SEE THAE LADS WI' THEIR RADIOS. I WISH WE HAD SOMETHING LIKE THAT!

TWA AULD SYRUP TINS AND A PIECE O' STRING . . . THAT'S THE BEST WE CAN DAE! STRETCH THE STRING TIGHT, BOB!

THIS IS AGENT ZX CALLING FAT BOB. ARE YOU RECEIVIN' ME?

AHEM . . . WATCH THIS!
RECEIVING YOU LOUD AND CLEAR.

YOWPS!
CRIVVENS!

COME ON, BOB!

LATER . . .
PARK
I'VE GOT A BETTER IDEA, BOB—SMOKE SIGNALS! YOU GO OWER THERE . . .

SOON . . .
JINGS, THAT'S MAGIC! I WONDER HOW WULLIE'S DOIN' IT!

—THIS IS HOW!
EH? SPLUTTER!

YE WEE DEIL!

LATER—
I'LL MAK' A MEGAPHONE! AWA' YE GO OWER THERE, BOB. YE'LL HEAR THIS BETTER THAN ANY RADIO!

CALLING FAT BOB
CALLING FAT BOB
DO YOU RECEIVE ME?

I HEAR YE!
OOYAH!

MY MAN'S ON NICHT SHIFT AND YE'VE WOKEN HIM UP!

LATER STILL—
OH-OH! TROUBLE!
WULLIE'S HOOSE

SOON . . .
WULLIE'S HOOSE
WULLIE'S STILL TRYIN' TAE SEND SIGNALS . . .

JINGS—IT'S DUST—NO' SMOKE!
DISTRESS SIGNALS

This huge syringe mak's Murdoch yell —

And fills oor lad wi' grief as well!

MEDICAL SUPPLIES LTD
JINGS, LOOK AT THAT AULD SHOP SIGN!
JABBO'S SYRINGES

I COULD HAE A LOT O' FUN WI' THIS!

JIST WAIT TILL THE LADS SEE IT!

CRIVVENS!
AAAAAAAGH!

COME BACK HERE!
NAE FEAR!

THAT WIS A NEAR THING!
JABBO SYRINGES

BETTER GET HAME WI' IT!
C.O. CAINE DENTIST
WAITING ROOM

NERVOUS
AH'M REAL WORRIED—AH HIV TAE GET AN INJECTION.
SO HIV I.

PASS THAT SYRINGE, NURSE.
SURGERY

MICHTY ME! LET ME OOT!

HE'S NO' JABBIN' ME WI' THAT SYRINGE!
NOR ME!

HO-HO!
JABBO

CAUGHT YE, YE WEE RASCAL!

YE'LL APOLOGISE TAE THE DENTIST.
I'M SORRY.

BY THE WAY, WULLIE, YOU MISSED YOUR LAST APPOINT-MENT—I'LL HAVE A LOOK AT YOU NOW.

HMM! YOU'LL NEED A FILLIN' THERE, WULLIE.

COME BACK TOMORROW!
I'LL TAK' YE HAME AND TELL YER MITHER ABOOT YER APPOINTMENT TOMORROW!

STUPID SYRINGE!

Puir Wullie's feelin' affy flat —

But Bella's got a cure for that!

I THINK I'LL GO TAE SCHOOL ON MY BIKE!

AW, NO—A FLAT TYRE!

I'LL HAE TAE RUN, NOW!
WULLIE'S HOOSE

YIKES!
BAKER

MY BONNY CAKE—FLATTENED!
BAKE

ER—SORRY. I WIZ GOIN' FLAT OOT, YE SEE!

I'LL FLATTEN YOU!
BAKER & CONFEC

PHEW! WHIT A RUSH! I'D HAVE GOT THE BUS IF I HADNA BEEN FLAT BROKE!

LATER
NOW, WILLIAM... WHAT IS SO DISTINCTIVE ABOUT THE NETHERLANDS?

ER... THEY A' SPEAK FOREIGN?

NO, WILLIAM... THE NETHERLANDS ARE FLAT!

THEN—
NOW, WILLIAM, WHAT NOTE IS THIS?
ER... I'M "NOTE" VERY SURE, MISS.

SILLY BOY—IT'S 'B' FLAT, OF COURSE!
I MICHT HAVE GUESSED!

AFTER SCHOOL—
COME ON, WULLIE, WE'RE GOIN' TAE SEE YER AUNTY BELLA.
SCHOOL

YE'RE AFFY GLUM, WULLIE. WHAT'S WRANG?
ACH, I'VE BEEN HAEIN' A LOT O' BOTHER WI' FLAT THINGS A' DAY.

WELL, WE'LL SOON FIX THAT!

HERE'S SOMETHING FLAT THAT'LL CHEER YE UP!
PANCAKES! SMASHIN'!

BETTER WATCH I DINNA FLATTEN MY BUCKET!

Cowboy suits are oot o' date —

Or so say Wullie's pals. But wait . . . !

HE'S AWA' GETTIN' DRESSED UP FOR A FANCY DRESS CONTEST!

THAE SPACE SUITS WERE SMASHIN' CHRISTMAS PRESENTS, SOAPY.
AYE! ZAP-ZAP!

HERE'S WULLIE WI' HIS COSTUME.

MICHTY ME, AH THOCHT THEY'D STOPPED MAKIN' COWBOY OOTFITS!
HUMPH!
THEY'RE OOT O' DATE NOO.

CATTLE MART
STOP! COME BACK!

IT'S A' RIGHT, MISTER! I'LL LASSO IT!

HO-HO! WHAT A TANGLE!

WE'LL ZAP IT WI' OOR LASER SIRENS.
WAIL
WAIL

THANKS, LAD. THAT DIN TURNED IT BACK!

I'M THIRSTY!
ME AS WELL!

FILL OOR SPACE HELMETS!

YOU CANNA DAE THIS!
AYE, I CAN!

HO-HO! IT'S LEAKIN'!

COME ON, PAL—LET'S GO WHERE NO MAN'S GONE BEFORE!

HMPH! I CAN GO WHAUR YOU TWA CANNA GO!

IZZATSO?
AYE, ZAT'S SO!

COME ON! WE'LL TAK' A SHORT-CUT TAE THE FANCY DRESS CONTEST!

NETTLES! OOYAH! OO! AAAHH!

CHEERIO, LADS! AH DIDNA FEEL ANYTHING THROUGH MY CHAPS.

LATER—
ACH! WE HAD TO GO ROOND THE LANG WAY!

TWA-GUN TEX COULD BEAT CAPTAIN KIRK ANY DAY!

This wee lad's imagination —

Disnae half cause consternation!

COOEE, WULLIE. WOULD YE GO A WEE MESSAGE FOR ME?

GO DOON TAE THE CHURCH HALL AND COLLECT A BOX O' C . . .

JINGS, THAT BUS DROONED OOT WHIT MRS GOW WIS SAYIN', BUT IT SOUNDED LIKE A BOX O' CLOCKS . . .
SUNDAY POST.
SQUEAL
ROAR

I'LL GO DOON TAE THE HALL ANYWAY AN' SEE WHIT'S DAEIN'.

THIS COULD BE DIFFICULT!

I DINNA THINK MUCH O' THAT GRANDFATHER . . .
NO . . . SEEN BETTER DAYS!

WHISSAT? SEEN BETTER DAYS, HAVE I? AND I KEN THAT VOICE!

CHEEKY! WEE DEIL!

A CUCKOO CLOCK WOULDNA BE SO BAD!

WOULDN'T IT? WATCH THIS!
BALLOONS 10p EACH

JINGS, WHIT A DAFT TIME TAE COME OOT O' YER NEST!
CUCKOO!
BANG!

VANDAL!

IT MIGHT BE A BOX O' ALARM CLOCKS!

FIRE STATION
I WOULDNA GET INTAE ANY TROUBLE WI' THEM . . .

OH NO?
JINGS, THEY'VE A' GONE AFF AT THE SAME TIME!
DRINNG!

HELP! THE FIREMEN THINK THEY'RE THE FIRE BELLS!
DRINNG!

SORRY, IT WIS MY BOX O' CLOCKS!

I'M GOIN' RIGHT AFF THIS IDEA O' CARRYIN' A BOX O' CLOCKS TAE MRS GOW'S.
SALE OF WORK
CHURCH HALL

MRS GOW SENT ME TAE COLLECT HER BOX O' CLOCKS.

EH? BUT IT'S NO' A BOX O' CLOCKS . . . IT'S A BOX O' CHOCS!

MRS GOW GAVE ME A' THE HARD CENTRES!

Trust Ma tae bake —

The perfect cake!

I'M AFF TAE BUY WEE JEEMY A BIRTHDAY PRESENT.
JINGLE
JINGLE

ECK SPENCE'S HYPER MARKET
WE'LL TRY IN HERE, JEEMY.
SQUEAK!

CUDDLY TOYS. HOW ABOOT ONE O' THEM, PAL?

OOPS... A CAT!
SQUEAK!

SORRY ABOOT THAT, JEEMY! I DIDNA MEAN TAE FRIGHTEN YE!
SQUEAK!

TOYS
CAN I HELP YOU, YOUNG MAN?
AYE, I WANT TAE BUY A PRESENT FOR MY PAL, JEEMY.

HMM, HOW BIG IS HE? WE HAVE TOYS FOR EVERY AGE.
OH, HE'S NO' VERY BIG...

...LOOK!
A MOUSE! EEK!

OUT!
ACH, KEEP YER HAIR ON!

LOOK, JEEMY—I'LL BUY YE A WEE PLAYMATE!
EVERYWAN A BARGAIN, SON!
CLOCKWORK MICE £1·50 EACH

THEY'RE BRAW! I WOULDNA MIND ANE FOR MYSEL'!
CHEEK!
JEALOUS

HOI! HE'S WRECKIN' MY MERCHANDISE!
JEEMY! STOP IT!

YE WEE DAFTIE! I HAD TAE PAY THE DAMAGES WI' YOUR PRESENT MONEY!
SNIFF

HELLO, MAW, I'VE HAD AN AFFY DAY. IT'S JEEMY'S BIRTHDAY AN' I HAVENA GOT HIM A PRESENT.
IS THAT SO! WELL, GUESS WHIT I'VE GOT HERE!

LOOK, SOMETHIN' FOR BAITH O' YE— CHEESECAKE!
SQUEAK!

SMASHIN'!

Leopards and tigers are hard tae find —

So he tries "big game" of another kind!

THAT WIS A GREAT STORY ABOOT A BIG-GAME HUNTER.

RIGHT, NOO TAE FIND SOME BIG GAME!
POP GUN!

SEE THAE SPOTS! IT'S NO' SAFE TAE GO NEAR HIM!

JINGS, THERE MUST BE A LEOPARD IN THAT HOOSE!

IT'S A'RIGHT, WIFIE. I'LL GET THAT LEOPARD FOR YE!

I'LL LEOPARD YE! GET OOT O' MY HOOSE, YE WEE MONKEY.
MY WEE BRITHER'S GOT MEASLES!

JINGS, THAT WIFIE'S FIERCER THAN A LEOPARD!

DAE YE SEE THE SIZE O' THAE HORNS!
MUST BE A BUFFALO!

STAND BACK, MANNIE. I'LL SAVE YE!

AYE, IT'S A REAL ANTIQUE, THAT CAR!
ACH!

THIS BIG-GAME HUNTIN' IS NO' MUCH FUN!

WE'LL HAVE TO DO SOMETHING ABOUT THIS TIGER. IT'S INJURING TOO MANY FOLK!
NAE MISTAKE THIS TIME. IT'S DEFINITELY A TIGER ON THE LOOSE!

RIGHT! STAND BACK! I'M AN EXPERT IN DEALIN' WI' WILD BEASTIES! WHAUR'S THAT TIGER?

YIKES!
TRIP!

THAT'S THE TIGER! FOLK KEEP TRIPPING OVER IT WHEN THEY COME IN! WE'LL HAVE TO SHIFT IT.
A TIGER SKIN RUG! HUH!

ACH, I KEN WHIT KIND O' BIG GAME I SHOULD BE LOOKIN' AT!

COME AWAY, UNITED!
GUESS WHO LOST!
DINNA MENTION BIG GAME TAE ME!

P.C. MURDOCH
HO-HO-HO!

Oor Wull's the lad for big surprises —

When he supplies his chum's disguises!

HELLO, WHIT'S SOAPY UP TAE?

HI, SOAPY!
YOWP!

JINGS, WHIT'S WRANG WI' YOU?
MASHER McGRAW IS EFTER ME! GULP! AND I'M ON MY WAY TAE MY COUSIN JEANNIE'S BIRTHDAY PARTY.

ACH, DINNA WORRY. I'LL GET YE TAE YER PARTY—IF YE SAVE ME A PIECE O' THE BIRTHDAY CAKE!
ANYTHING, WULLIE—BUT HOW WILL YE MANAGE IT?
EASY! COME TAE MY SHED!

THERE, NAEBODY WILL RECOGNISE YE WI' THAT DISGUISE!
SMASHIN'! THANKS, WULLIE.

YE CAN SAVE ME SOME BUNS AS WELL!
OKAY!
GRR! MAK' FUN O' MY SAIR NOSE, WID THEY!

CHEEKY WEE DEILS! GET THAT FALSE NOSE AFF!
YIKES!

YOU AN' YER GREAT IDEAS! YE'RE NO GETTIN' ANY CAKE NOW!
HAUD ON! WE'LL TRY CAMOUFLAGE, LIKE THE SOJERS USE!

THAT'S THE IDEA. KEEP THAT BIT O' BUSH ABOVE YER HEID . . . AN' KEEP CLOSE TAE THE HEDGE!
IT'S TIME I GAVE THIS HEDGE A GUID TRIM!

HOI!
EH?

COME ON, SOAPY!
YE WEE MONKEY, YE SCARED THE LIFE OOT O' ME. AWA' AN' PLAY SOMEWHERE ELSE!

THIS IS MY BEST IDEA YET! SIT IN THIS AULD PRAM AN' PRETEND YE'RE A BAIRN!

COME ON, HURRY UP. WE'RE LATE!
PUFF! I'M DAEIN' MY BEST!

ACH, THE HANDLE'S COME AFF!
AND LOOK WHA WE'VE HIT—MASHER McGRAW!

WELL, ER, IT'S PAST MY BEDTIME!
GRR! I'LL THUMP YOU FOR THIS, WULLIE!
YE'LL HAE TO GET BEHIND ME IN THE QUEUE!

GONE VISITING MAH AUNTIE IN AUSTRALIA

This book was grand in 1910 —

And it comes in handy yet again!

IT'S A BRAW DAY!

I FOUND THIS IN THE ATTIC, WULLIE. CAN YE USE IT?
JINGS! AYE!
?

WHIT'S THAT YE'VE GOT?
THE 1910 HANDY-MAN'S ANNUAL
A VALUABLE BOOK. I'LL MAK' LOTS O' MONEY SELLIN' HELPFUL HINTS FROM IT!

DINNA BE DAFT! THAT AULD THING'S NAE USE TAE ANYBODY!
HMPH. YE'RE JIST JEALOUS.
THE 1910 HANDY-MAN'S ANNUAL

TCH! I CAN'T FIGURE OUT WHAT'S WRONG WITH THE ENGINE!
HAE A LOOK IN MY BOOK, MISTER. IT'S FOR FOWK LIKE YOU!

TRANSPORT REPAIRS
THIS'LL BE WORTH TENPENCE!
THE 1910 HANDY-MAN'S ANNUAL

MAKE FUN OF MY CAR, WOULD YOU!

HO-HO! YE'D BETTER THROW THAT AWA'!
NAE FEARS! YOU WAIT—SOMEBODY'LL BE GLAD TAE BORROW IT!

SURE ENOUGH—
HERE, WULLIE, I'LL GIE YE THIS CARAMEL FOR A LOAN O' YER BOOK!

WHIT DID I TELL YE! SHE PROBABLY WANTS IT FOR SOMETHIN' HIGHLY TECHNICAL!
GREAT! NOW I CAN GET IN FOR MY DENNER!

IT MAK'S A RARE UMBRELLA!
HO-HO! THERE'S WHIT SHE WANTED YER BOOK FOR!

HERE, WULLIE—CATCH!
HA-HA! SERVES YE RIGHT FOR LAUGHIN'!
OOYAH!

GRR! I'LL THROW THE DAFT THING AWA' FOR YE!
STOP!

THERE! IT'S GONE!
YE WEE NYAFF!

HOWL!
EH? WHASSAT?
JINGS, THE BOOK MUST HAVE HIT SOMEBODY!

WHO OWNS THIS BOOK?
IT'S HIS, MISTER! CHUCKLE! TA-TA, WULLIE!

THAT TOUGH WAS ABOUT TO ROB ME, SONNY—AND YOUR BOOK KNOCKED HIM COLD! TAKE THIS!
OH, ER, THANKS!

MUNCH! JEEMY CAN HAE THE BOOK NOW!
MOOSE HOOSE

There's something
YE USED THAT LAST YEAR, TAE PAY FOR THE GLASS YE BROKE IN MY GREENHOOSE!
SPACESUIT? DAE YE THINK I'M MADE O' MONEY?
LATER—
WHA'S BEEN AT MY KITCHEN FOIL?

CRINKLE!
TINKLE!
WHIT'S THAT FUNNY NOISE?

SO! MY KITCHEN FOIL! BRING THAT BACK IN!

BUT, MA—I WIZ GOIN' TAE MAK' A SPACESUIT!
I'LL 'SPACESUIT' YE!

LATER STILL—
WHAUR'S MY ELECTRIC DRILL?

ZAP! YOU'RE DEID!
AYE, AYE . . .

COME ON, HAND IT OWER!
AW . . .

THERE GOES MY LASER GUN!

STILL LATER—
WHAUR'S MY BOOTS?

BOOTS? I SAW WULLIE WI' A PAIR O' BOOTS!

WULLIE! GIE ME THESE AT ONCE!
BUT, MA, THEY'RE MY SPACE BOOTS!

THAT AFTERNOON—
WHAUR'S THE GOLDFISH?

I'LL BET WULLIE'S USIN' THE BOWL AS A SPACE HELMET!
AYE! BUT WHIT WILL HE HAVE DONE WI' GOLDIE?

I KNEW IT! WHAUR'S THE GOLDFISH, YE WEE RASCAL?

1st
SHE'S A'RIGHT! I ENTERED HER IN THE PET SHOW AN' WON £2 AN' I BOUGHT THIS SPACE HELMET WI' THE MONEY!

CLEVER, EH?

in starts tae pour!
OCH, IT'S
TAE RAIN
OOF!
SLAM!
THAT DOOR HAD AN AFFY POWERFUL SPRING!
THERE'S PC MURDOCH WI' HIS BIG CAPE! THE VERY DAB!
HE'S HAEIN' A FLY SMOKE SO HE WINNA NOTICE ME!
BUT—
JINGS, THERE'S THE INSPECTOR!
POLICE
PHEW! HE'S GOIN' PAST... EH? WHA'S UNDER MY CAPE?
CRUSH
HIDING PIPE
OOYAH!
DINNA TRY THAT AGAIN!
NAE FEAR O' THAT! YE SQUASHED ME FLAT!
GREAT! AN AULD BROLLY!
RUBBISH TIP
JINGS, IT'S GOT MAIR HOLES IN IT THAN A FISHIN' NET!
OOF!
JAB!
WHA'S THAT?
HELP! IT'S BASHER McSNOTTIE!
SPLASH!
YE WEE NYAFF! I'LL PULVERISE YE!
LATER...
WULLIE! WHIT HAPPENED?
?
HMPH! I GOT CAUGHT IN A SHOWER!
TINGLE
FED-UP

Oor Wullie's cartie's hard tae beat —

It's even got an ejection seat!

THAT MANNIE'S RIGHT. MY CARTIE'S NO' SAFE!
KLUNK-KLIK
SAFETY BELTS SAVE LIVES

IT'S TIME I GOT TAE WORK!
Wullie's Shed

BANG
JINGS, WHIT'S HE UP TAE NOW?
KEEP OOT! MAN AT WURK
HAMMER

SOON—
PAW'S BRACES
WULLIE'S SUPER-SAFE CARTIE MARK I
HI, LADS! WHIT DAE YE THINK O' IT THE WORLD'S FIRST SUPER- SAFE CARTIE!

I NEED TEST DRIVERS. THE PAY IS TWA BEANOS . . .
YE'RE ON!
AYE!
BEANO

RIGHT, BOB, YOU CAN TRY OOT THE SEAT BELT . . .

GIE HIM A GOOD PUSH AFF, SOAPY!

JINGS, HE'S NO' HALF PELTIN' DOON THE BRAE!
GREAT!
WAAH!

CRIVVENS! HE'S THUMPED INTAE THAT BOULDER!
THE PERFECT TEST FOR MY SEAT BELT!
HELP!

BUT—
ACH, I DIDNA NAIL IT ON STRONG ENOUGH!
SMACK!

COME ON, SOAPY, IN YE GET! AND DINNA WORRY—IF YE GET INTAE TROUBLE, JIST PULL THAT LEVER ON THE SIDE!

HE'S AWA'!
SMASHIN'!
MAMMIE!

MIND THAT FENCE! QUICK, PULL THE LEVER!
WHIT IS IT— A BRAKE?

NAH, BETTER THAN THAT—AN EJECTION SEAT! LOOK!
AIEEE!

WELL, THAT'S IT, LADS! I'M AFF TAE MAK' SOME WEE IMPROVEMENTS . . .
IZZATSO? WELL, WE'VE GOT AN IDEA TAE MAK' THINGS SAFER AROOND HERE AS WELL! COME ON, BOB!

DO NOT UNTIE TILL BEDTIME

See Wullie's muscle-building plans —

He's got a chest like Desperate Dan's!

ARE THESE ANY USE TAE YE, WULLIE? THEY'RE NO' STRONG ENOUGH FOR ME!
SMASHIN'! TA!
JIM'S GYM
KEEP FIT

GREAT! I'LL SOON HAE A CHEST LIKE DESPERATE DAN'S!

JINGS! THEY'RE NO' HALF STRONG!

OOF!
TWANG!

I'LL DAE IT WI' TWA HANDS!

HEAVE!

ACH, I'VE PULLED A BRICK OOT O' THE WA'!

HERE, WHIT'S GOIN' ON?
OH, ER, SORRY, MISTER!

THIS IS MAIR LIKE IT! HEAVE!

HI, WULLIE. LIKE A CHIP?
AYE, TA—

OOYAH!
PYONG!

I'M A RIGHT DAFT SKITE! FANCY LETTIN' GO TAE TAK' A CHIP!

THIS IS BETTER!

BUT—
JINGS, IT'S BASHER McTURK!

THAT'S DONE IT!
TWANG!

TIME TAE GO!
CRASH!

C'MERE, YE WEE PUDDEN!
I'LL NIP ROOND THE CORNER!

THEN—
WHA WERE YE CALLIN' A WEE PUDDEN?
JINGS, HE'S GOT A CHEST LIKE DESPERATE DAN'S! GULP!
OH, ER, NAEBODY . . .

HO-HO! THAE CHEST EXPANDERS DINNA HALF GIE YE A BIG CHEST— IF YE STUFF THEM DOON YER DUNGAREES!

It's just as well for Wull that he's —

No' wearing his black dungarees!

HE'S INSIDE, WATCHIN' TELLY!

JINGS, THIS IS A BRAW MOTOR RACE!

I WISH I WIS A RACIN' DRIVER!
CORNERING

I'LL NEED TAE GET A' THE GEAR—HELMET, OVERALLS, GLOVES . . .

LATER—
I'VE BORROWED JIM WHITE'S MOTOR-BIKE HELMET, MA'S BIG GLOVES AN' PA'S PENTIN' OVERALLS! NO' BAD, EH!

I WONDER WHY THEY GET A' DRESSED UP LIKE THIS? MAYBE THEY GET CAULD SITTIN' IN OPEN CARS!
5
BRAKE AFF

HERE GOES!
WHOOSH!
5

JINGS! P.C. MURDOCH!
OOYAH!
5

LOOK OOT, MISTER!
GROCER
5

ROAD HOG!
5

HELP! MAIR TROUBLE!
5

PHEW! JIST MADE IT!
5

BUT—
CLONK!

WHASSAT?!
23

AARGH!

AT LAST—
THAT WIS BRAW. I CAN TAK' THAE THINGS AFF NOW!

OH-OH, THIS LOOKS BAD!
?

HERE, WULLIE, HAVE YE SEEN A HOOLIGAN IN WHITE OVERALLS AN' A CRASH HELMET?
ER, WELL, LET ME THINK . . .

COME ON, WE CANNA WASTE TIME . . . HE MUST HAVE GONE ROOND HERE!
GULP OF RELIEF

NOW I KEN WHY THEY WEAR A' THAT STUFF—IT'S SO NAEBODY'LL RECOGNISE THEM!

Pa upsets Wullie's telly viewin' —

But ach, there's still a whole lot doin'!

I WONDER WHIT'S ON TV?

JINGS, IT'S PA!

ACH, HE'S JUST FIXIN' THE SET!

NAE TV! WHIT CAN I DAE?

YE CAN TAK' MY WASHIN' DOON TAE THE LAUNDERETTE IF YOU'VE NOTHIN' TAE DAE!
HMPH!

WELL, IT'S BETTER THAN WATCHIN' NOTHIN'! I BET MY SOCK GOES ROOND FASTER THAN PA'S HANKIE!
LAUNDRI

COME ON, SOCK —GET MOVIN'!

IT'S TAKEN THE LEAD! KEEP IT UP, SOCK!

HOORAY! THE WINNER!

LATER—
HI, WULLIE, COME IN AN' SEE MY NEW AQUARIUM!
OKAY, SOAPY!

HAW-HAW! THAT ANE LOOKS LIKE FAT BOB!

AND THAT ANE'S GOT ON HIS FITBA JERSEY!

BACK HOME—
LOOK WHIT WE'VE GOT, WULLIE—A MICROWAVE OVEN!
COO!
FRAZZO MICROWAVE OVEN

WATCH HOW IT COOKS THINGS!

WOW! SEE THAE SASSIDGES! THEY'RE SIZZLIN' ALREADY!

SMASHIN'! SLURP!

THAT'S THE TV FIXED, WULLIE.
TV? HUH!

TV'S AULD HAT. I'VE GOT BETTER THINGS TAE WATCH!
EH?

I'LL THINK I'LL GO AN' SEE WHIT'S ON MAW BROON'S WASHIN' MACHINE!

Rip van Winkle slept for years —

And so did this man, it appears!

HE'S AWA' ON A PLOY!

I'LL HAE SOME FUN WI' THIS ROLL O' COTTON WOOL!

AHA..!

HEY, MISTER, HOW MANY MAIR WEEKS ARE YE GOIN' TAE SLEEP ON THAT BENCH?
EH? WHASSAT?

?
THAT'S A BRAW BEARD YE'VE SPROUTED.

HELP! I MUST HAVE BEEN SLEEPIN' FOR WEEKS!

HO-HO! FOOLED YE! IT'S ONLY COTTON WOOL!
GRR!

NOW FOR SOME MAIR FUN!

HELP! MAD DUG! IT'S FOAMIN' AT THE MOOTH!

AWA', YE DAFTIE! IT'S JUST COTTON WOOL!
BAH!

THEN—
THERE'S MRS GOW BLETHERIN' ABOOT HER BAIRN.
AYE, WEE TAM'S THE SPITTIN' IMAGE O' HIS FAITHER.

FAITHER? HE'S MAIR LIKE HIS GRAND-FAITHER!
EEK!

HAW-HAW! THIS STUFF MAK'S BRAW MOUSTACHES!

YES, SIR, THESE ARE THE LATEST IN SUN GLASSES!
JINGS, THAT'S A SUDDEN CHANGE IN THE WEATHER!

GOODNESS—IT'S SNOWING!

SORRY, I'VE CHANGED MY MIND ABOUT SUN GLASSES!

COTTON WOOL! GRR!

I'LL KEEP THE REST O' THIS FOR LATER.

BUT—
AH, WULLIE! THERE'S SOME FOWK HERE TAE SEE YE!
GULP!

DINNA LAUGH, YOU LOT!

Here's three chums clad in fancy dress —

Wha's up tae mischief? You can guess!

YOU OLDER PUPILS WILL BE ENTERTAINING THE YOUNGER CHILDREN AT THEIR FANCY DRESS PARTY TONIGHT.

SO I WANT YOU ALL TO GO ALONG TO THE DRAMA DEPARTMENT AND GET SOME COSTUMES.
I'LL PICK MASEL A SPACE SUIT!

BUT—
HUH! TRUST US TAE BE LAST IN THE QUEUE!
DRAMA DEPT

SORRY, LADS, ALL I'VE GOT LEFT IS THIS COWBOY OUTFIT AND A HORSE COSTUME.
THAT'S A'RIGHT! I'LL BE TWA-GUN TEX AND YOU LADS CAN BE MY CUDDY!
OKAY. WE'LL PICK YE UP ON THE WAY TAE THE PAIRTY!

LATER—
ARE YE READY, WULLIE? THERE'S A HORSE HERE ASKIN' FOR YE!

COME ON, YOU TWA . . .
HEY, SONNY, CAN YE GET YER HORSE TAE GIE MY CAR A PUSH?

HOW'S THAT, MISTER? YE'VE GOT A ONE HORSE-POWER CAR NOW. PUSH, LADS!
THANKS, SON!

ACH, I'VE PULLED THE SOLE AFF MY SHOE!

MY CUDDY'S LOSIN' A SHOE, MR JACKSON. CAN YE HELP?
AYE, BRING IT IN, WULLIE!

I'LL JIST PUT IN A COUPLE O' TACKS, WULLIE.

IT'S PAST ITS BEST, THAT HORSE.
CHEEK!

THEN—
OH, WULLIE, THE DOOR O' MY COAL HOOSE IS STUCK. CAN YE GET YER HORSE TAE KICK IT OPEN?
AYE!

THANKS, WULLIE.
THAT'S A'RIGHT, MRS MURPHY, I'M AYE READY TAE GIE FOWK A HAND!
WHA'S HE KIDDIN'?

COME ON, LADS, WE'RE LATE NOW!
HANG ON—IT'S NO' EASY RUNNIN' IN THIS COSTUME!

COME ON— ON YER FEET!
AWA'—WE'RE PUGGLED!

WILLIAM, I'VE PROMISED THE CHILDREN A RIDE ON THE HORSE, BUT YOU'VE TIRED OUT BOB AND SOAPY . . .

YOU KNOW WHAT THAT MEANS—YOU AND I WILL HAVE TO TAKE THEIR PLACE!
AND YOU CAN BE THE BACK LEGS AND TAKE ALL THE WEIGHT!

COME ON, DOBBIN!
MOAN!

HMPH! I WONDER IF TWA-GUN TEX'S HORSE EVER GOT A SAIR BACK?

Help m'boab! Here's a right to-do —

The "u" in Wullie's changed to "oo"!

I'LL GO AN' SEE IF THE LADS ARE COMIN' OOT TAE PLAY.

SOUTER
ARE YE COMIN' OOT, SOAPY?

COME ON, RACE YE TAE THE PARK.
YE'RE ON!

I'LL JUST TAKE THIS BOWL OF BROTH ROUND TO OLD MRS . . . OH!

TCH! JUST LOOK AT YE! HOW MANY TIMES HAVE I TOLD YOU NOT TO RUN IN THE HOUSE!

LATER—
HO-HO! WE'LL HAE TAE CA' YE SOUPY SOUTAR NOW!
HMPH! VERY FUNNY!

COME ON, LET'S GET FAT BOB!

IS BOB COMIN' OOT TAE PLAY?
ASK HIM YOURSELF. HE'S ROOND THE BACK, HELPIN' HIS MA.

THERE HE IS, BEATING THAT MAT.

HO-HO! WELL HAE TAE CHANGE HIS NAME AS WELL!

SOUPY SOUTAR— AND NOW MAT BOB!

IS WEE ECK COMIN' OOT TAE PLAY?
HE'S IN THE BACK GARDEN.

WHIT ARE YE DAEIN' UP THERE?
I'M STUCK! I CLIMBED UP AND NOW I CANNA GET DOON!

YOU'RE NO' WEE ECK ANY LONGER— YOU'RE TREE ECK!

GO ON, GET ME A LADDER.
JIST JUMP DOON ON TAE MY SHOULDERS.

HERE I COME— JINGS!
RRRIP!

OOF!

I'VE RIPPED MY JERSEY, MA. WULLIE TELT ME TAE JUMP . . .
HE DID, DID HE?

IN YOU COME, WULLIE. I'VE GOT A JOB FOR YOU!

YOU CAN HELP ME WIND THE WOOL FOR A NEW JERSEY!
HO-HO! WHIT DAE YE THINK O' THAT, BOB— OOR WOOLLY!

OOR WOOLLY. BAAH!

SILENCE

Poor Wullie's in a proper fix —

He's met the champ at "dirty" tricks!

NOW, REMEMBER, KEEP YERSEL' TIDY WHEN WE GO TAE AUNTY BELLA'S. YE KEN WHIT SHE'S LIKE!

I'LL KEEP AN EYE ON HIM, MA.
THAT'S FINE. I'M AWA' TAE BUY SOME FLOWERS FOR BELLA. I'LL MEET YE AT THE BUS STATION.

NOW'S MY CHANCE TAE GET DIRTY!

IF I GET MESSED UP, I WINNA HAE TAE GO TAE BELLA'S!

BUT—
LOOK OUT, WULLIE!

HMPH, THAT DIDNA WORK— BUT THERE'S BASHER McTURK AHEAD!

HI, PUDDEN-FACE!

CHEEKY WEE MIDDEN! TAK' THAT!

DUCK!

SAVED!
SPLAT!

YE'RE STILL CLEAN, WULLIE!

LOOK— THAT CAT'S STUCK! I'LL CLIMB UP FOR IT!
NA, NA, YE'D GET A' MESSED UP. STAND ON MY SHOULDERS!

HUP!
DEAR, DEAR, YER FEET MUST'VE BEEN MUDDY, WULLIE!

WELL, I'VE GOT HIM HERE A' CLEAN AN' TIDY, MA.
BUS STATION
HMPH! THAT'S MAIR THAN CAN BE SAID FOR YOU!

YOU CANNA COME LOOKIN' LIKE THAT!
AYE, I SUPPOSE YOU'RE RIGHT. I'LL SEE YOU WHEN YOU GET BACK.

LATER—
SO I SAID TO HER, IT'S NONE O' MY BUSINESS . . . WULLIE, SIT UP STRAIGHT ON THAT CHAIR! . . . IT'S NONE O' MY BUSINESS, BUT . . . WULLIE, DINNA CREASE THAT CUSHION . . . BLAH, BLAH . . .

HMPH, I DINNA SUPPOSE PA GOT HIMSELF DIRTY ON PURPOSE . . .?
YAP YAP!
CLUCK! CLUCK!

I'M NO' DAFT . . .!

It's true oor lad's the perfect angler —

But he's an even better wangler!

THINK I'LL GO FISHIN' TODAY.

SO—
I'LL EMPTY THIS RUBBISH FOR YE, MA.

HERE'S A WEE BIT EXTRA POCKET MONEY FOR BEING SO THOUGHTFUL.

I WAS JUST DAEIN' THIS TAE GET A TIN CAN FOR MY WORMS!

I'LL DIG SOME UP!

TIME I DUG THE GARDEN.

THANKS FOR YOUR HELP, WULLIE. HERE— IT'S WORTH 20P!
TA!

I'LL NEED A ROD.

I'LL CUT ANE OFF MR GREEN'S AULD TREE.

OWER SHORT!

THIS ANE'S NO' WHIPPY ENOUGH.

FINALLY—
PERFECT!

VERY GOOD O' YE TAE PRUNE MY TREE, WULLIE! HERE, TAK' THIS!
THANKS, MISTER GREEN!

I'M AFF TAE STOORIE BURN.

ACH! I'VE DROPPED MY CAR KEYS DOON THE DRAIN.

LEAVE THIS TAE ME!

HERE YE ARE, MISTER.

GUID LAD, WULLIE! HERE!
JINGS, TA!

TONI'S FISH & CHIPS
HO-HO! WI' A' THAT MONEY I DIDNAE NEED TAE GO FISHIN'!

SMASHIN'!

Wullie's in a proper lather —

When he meets his new pal's father!

YOU'RE NEW ROOND HERE, AREN'T YE? WELL, I'M WULLIE. WHIT'S YOUR NAME?
I'M SANDY WATSON.

WELL, SANDY, I'M THE HEID BUMMER ROOND THAE PARTS—I'LL SHOW YE A FEW THINGS THAT'LL BE USEFUL TO YE!

THIS IS OOR LOCAL FITBA GROUND. NOW, IF YE SWING THIS NOTICE UP . . .
NO CLIMBING OVER FENCE

NO CLIMBING OVER FENCE
. . . YE CAN SEE THE GEMME FUR NUTHIN'!

NOW, IF YE EVER WANT TAE HAE A SWING WHEN THE PARK'S CLOSED . . .

. . . YE JIST LIFT UP THIS LOOSE RAILIN'!

AND IN THE AIPPLE-GROWIN' SEASON, YE'LL NO' HAE TAE CLIMB INTAE AULD GROUSER GREEN'S ORCHARD . . .

AH'M TRAININ' THE BRANCHES TAE GROW OWER THE WA'!

AND THIS IS THE STREET WHAUR WE PLAY KEEPIE-UP!
BUT THERE'S A 'NO FOOTBALL' SIGN!
NO FOOTBALL

THAT'S A'RIGHT! WATCH!
?

SEE THIS? THIS IS MY EARLY WARNIN' SYSTEM!

YE PIT ONE END THROUGH THIS HOLE IN THE FENCE . . .

DAE YE HEAR THAT NOISE?
CLUMP!
CLUMP!

THAT TELLS YE P.C. MURDOCH'S COMIN' THIS WAY, SO YOU STOP PLAYIN'!

HERE HE COMES NOW, WI' A NEW SERGEANT, BY THE LOOKS O' IT!

HELLO, WULLIE. THIS IS MY NEW BOSS—SERGEANT WATSON. HE'S JIST MOVED INTAE THE DISTRICT.
HI, DAD.

HOW CAN I NO' KEEP MY BIG MOOTH SHUT?

Poor Oor Wullie's not so clever —

Here's the loudest whisper ever!

HI, WULLIE, DAE ME A FAVOUR. TAK' THIS MEGAPHONE OWER TAE TAM GREEN...
HE NEEDS IT FOR THE SCHOOL SPORTS.
OKAY!

JINGS, MA SHOE-LACE IS LOOSE!

I'M NO' IN THE MOOD FOR DIGGING! I'LL SNEAK AWA' WHILE THE WIFE'S NO' LOOKIN'!

BUT—
JINGS, WHIT A DIN!
SQUEAK
SQUEAK

ALBERT! WHAUR DAE YE THINK YE'RE GOIN'?
OOER, COMIN', DEAR!

YOU AN' YOUR DAFT MEGAPHONE!

BUS STOP
I'LL TAK' THE BUS!

BUT—
SNARL
SPIT

MAMMY!

SEE WHIT YE'VE DONE TAE TOWSER!

PHEW! THIS MEGAPHONE'S NO' HALF A NUISANCE.
BUS STOP

I'D BETTER KEEP IT UP OOT O' HARM'S WAY!

KEEP THIS TAE YERSEL, AGGIE, BUT YON MRS MACKAY SAID . . .
WHISPER
KEEP THIS TAE YERSEL, AGGIE BUT YON MRS MACKAY SAID..

BUS STOP
YE WEE DEIL! YE DID THAT ON PURPOSE!
SORRY, WIFEY!

PHEW! HERE AT LAST!
PARK

SCHOOL SPORTS DAY
THANKS, WULLIE . . . WID YE LIKE TAE JOIN THE LADS FOR A RUN?

RUN? YOU MUST BE JOKIN'! I HAVENA STOPPED RUNNIN' SINCE I GOT THAT DAFT THING!

MY FEET ARE KILLIN' ME!

P.C. MURDOCH
HO-HO-HO!

This cowboy fair riles everybody —

And a' he wants is one wee cuddy!

WHAUR IS HE?
READER'S VOICE
HE'S WATCHING TV!

JINGS! I FANCY RIDIN' ANE O' THAE BUCKIN' BRONCOS!

AH'M GONNA GET ME A HOSS TAE TAME.

COME ON, DOBBIN.
LOOKS LIKE A HOSS GIVIN' TROUBLE.

AH'LL TAME YER HOSS, MA'M

BUT—
JINGS! IT'S JIST A STUPID WOODEN CUDDY.

GO AWAY, YOU NASTY BOY— YOU'VE UPSET MY FIONA!

ACH! AH'M NO APPRECIATED HERE!

AH'LL SPEND MY LAST TWENTY PENCE ON A ROUNDABOUT HORSE— THAT'LL BE A START.

HANG ON, SON!

YAHOO! GIT MOVIN'.
HOI!

THIS IS A ROUNDABOUT, NO' A RODEO! AWA' YE GO!

WHAUR'S A' THE WILD HORSES? THERE'S JUST WILD PEOPLE IN THIS TOON.

BUT THEN—
DON'T LET THAT HORSE BEAT YOU. LET'S SEE YOU SHOW HOW BRAVE YOU ARE!

LEAVE IT TAE ME— AH'LL TAME YER HOSS!

DINNA WORRY, WULLIE —THIS HORSE'LL NO BITE YE.
ACH!

THAT WIS A DEAD LOSS! THERE'S ONLY ONE MORE HORSE AH KEN ABOOT . . .

LATER—
READER'S VOICE
IS THAT YOU SADDLE-SORE, WULLIE? DID YOU TAME A BUCKING BRONCO AT LAST?

ACH! DINNA BE NOSEY! AH JUMPED ON MA'S CLOTHES HORSE AN' IT BROKE!

IF YE DINNA MIND, AH'LL NO'SIT DOON THIS WEEK.

Here's a tale of sad mishaps —

This journey's full of trips and traps!

AN' IT'S WULLIE FOR SCOTLAND—HE HEADS FOR GOAL . . .

JINGS!
CRASH!

I'D BETTER GET THAT FIXED AFORE PA SEES IT!

GLASS IS AFFY DEAR THESE DAYS, WULLIE!
AYE, IT'S A 'PANE', A'RIGHT!

LOOK OUT!
GLASS CUT WHILE -U- WAIT
GLAZIE

YIKES!

PHEW! THAT WIZ CLOSE!

THEN—
AARGH!
TRIP

PHEW! SAVED AGAIN!
TRAVELLING RUGS £5 EACH

THAT WIZ NEARLY A 'SHATTERING' EXPERIENCE!

I'LL BE GLAD WHEN I'M HAME!
WATCH THAT SKATE, WULLIE!

OHHHHHHH!

OOYAH!

THAT WIZ SAIR—BUT I SAVED THE GLASS!

HELP M'BOAB! PA'S CAULD FRAME'S GONE!

WULLIE! WHAUR HAVE YE BEEN? I WANTED YE TAE HELP ME TAE TAK' DOON THAT AULD FRAME TAE MAK' ROOM FOR MY NEW GREENHOOSE!
EH? GASP!
DROP!
CRASH

A' THAT WORRY FOR NOTHIN'! BUT PA GAVE ME THE MONEY FOR THE GLASS, SEEIN' AH WIZ TRYIN' TAE HELP!

Help m'bob! Whit a funny sight —

Ye'll laugh a' day at this wee knight!

SMASHIN' BOOK, THIS! I'D LIKE TAE BE A KNIGHT!
KNIGHTS OF THE ROUND TABLE

AND SO —
THE BRAVE SIR WULLIE RIDES FORTH . . . !
MICHTY! WHAUR'S THE FANCY DRESS PAIRTY?

STAND ASIDE, SERF! AH'M AFF TAE PERFORM GUID DEEDS!
AWA'! YE'RE DAFT!

YIPES! I'M BEIN' ATTACKED!
AHA! THIS SOUNDS LIKE A TASK FOR SIR WULLIE!

ACH! MY GUID SHIELD!
HO-HO!

GET AFF, YE WEE SCUNNERS!
HO-HO! IT'S JIST GRANPAW BROON HAEIN' TROUBLE WI' MIDGIES!

GIE UP, WULLIE!
NAE FEAR. THERE'S PLENTY O' GUID DEEDS TAE BE DONE YET!

I'LL START BY GIVIN' THAT WEE BAIRN HIS TEDDY BACK!
HMPH! THAT'S NO' MUCH O' A DEED!
GROCER
GOO! ME CLUNK UM!

JINGS!
OOOOH!
OOYAH!
DONG!
WHAT'S GOIN' ON HERE?

YE WEE MONKEY, BREAKIN' MY TAMMY'S RATTLE WI' YER HELMET!
CRIVVENS! IT'S HARD BEIN' A GOODIE!

LOOK, THERE'S BASHER MACFIE ABOOT TAE THROW A DIVOT AT THAT WEE LASSIE. GO AN' SAVE HER!
BUS STOP
EH? OH, ER, WELL, I SUPPOSE I'D BETTER . . .

CEASE THY EVIL ACTS, VARLET!
EH? WULLIE!
JAB!

I'LL PULVERISE YE FOR THAT!
HOLD IT, SONNY!
JINGS!

HELP!
CRIVVENS, IT'S NO' A LASSIE, IT'S A WEE MAN!
TOWN HALL WRESTLING MATCH
TINY TERROR v CRUSHER CRABB
LOOK, IT'S TINY TERROR, — HIM ON THE POSTER!

I LIKE A LAD WHO STANDS UP TO BULLIES! HERE — TWO TICKETS FOR TONIGHT'S MATCH!
TA!

TWA TICKETS, EH . . . ANE FOR YOU AND ANE FOR ME!
WELL, ON ONE CONDITION . . .

A KNIGHT NEEDS A TRUSTY STEED! ONWARD, DOBBIN!
PUFF! TRUST YOU TAE THINK O' THIS! PECH!

Michty! Here's a proper caper —

Whit's beneath this wrapping paper?

JINGS, THERE'S MR BOATH AT HIS SHOP. AH HOPE HE'S NO' GOIN' TAE WALLOP ME FUR KICKIN' MA BA' THROUGH HIS GREENHOOSE LAST WEEK!

AH, WULLIE—WOULD YE TAK' THIS PARCEL TAE JOCK WATSON IN STATION ROAD?
AYE, SURE!

THERE'S A WEE SURPRISE FOR YE WHEN YE GET THERE!

A WEE SURPRISE—MAYBE AH'LL GET 50P! HE SEEMS TAE HAVE FORGOTTEN ABOOT THE GREENHOOSE ANYWAY.

I'LL TAK' THE BUS—OOPS!
BUS STOP
DUNT!

WHAT A GREAT MUCKLE PARCEL TAE BE CARRYIN' ABOOT!

HOI! YE CANNA COME ON WI' THAT BIG PARCEL!
TCH TCH

AH'LL HAE TAE WALK.
KIRO'S CORN PLASTERS
TAKE THE BUS AVOID THE FUSS

AH'LL TAK' A SHORT-CUT THROUGH HERE.

JINGS! THERE'S NO' MUCH ROOM.

I'M STUCK!

COME ON—GET OOT O' THE WAY WI' THAT BIG PARCEL!

← REVERSING OOT
SORRY!

AH'LL HAE TAE GO THE LONG WAY!

JIST AS WELL IT'S NO' VERY HEAVY! AH WONDER WHIT IT IS?
STATION ROAD

AT LAST! AH'M PUGGLED!

WHY DID YE BRING IT LIKE THAT, WULLIE?
?

LOOK—IT'S A FOLDING CHAIR!

YOU COULD HAVE CARRIED IT LIKE THIS!
SWOON!

THAT WIZ A WEE SURPRISE A' RICHT! AH'M NO' SAE SURE THAT MR BOATH FORGOT ABOOT THE GREENHOOSE!

Oor Wullie sure fools everyone —

With this spot of 'armless fun!

WHAUR'S WULLIE?

HOLD STILL, WULLIE, WHILE I GET THIS BANDAGE ON!
JINGS, LISTEN TAE THAT!

NOW GET STRAIGHT ALONG TO THE HOSPITAL, WULLIE!

BEEN IN AN ACCIDENT, EH?
WELL . . .
DINNA TALK, WULLIE—KEEP UP YER STRENGTH. WE'LL SEE YE GET TAE THE HOSPITAL A' RIGHT!

OOH, WILLIAM . . .
HE'S BEEN IN AN ACCIDENT!

YOU CAN'T WRITE WITH YOUR ARMS BANDAGED! BUT DON'T WORRY, WILLIAM, I'LL DO YOUR HOMEWORK FOR YOU!

LEAVE IT TO ME, WILLIAM.
OH, ER, TA, PRIMROSE!

JINGS, WHIT'S HAPPENED TAE YOU?

DINNA TIRE HIM OOT ASKIN' SILLY QUESTIONS. WE'RE TAKIN' HIM TAE HOSPITAL!

TAK' IT EASY IN MY CARTIE, WULLIE. WE'LL PULL YOU TAE THE HOSPITAL!

THEN—
AHA! I'VE BEEN LOOKIN' FOR YOU, WULLIE!
GULP! IT'S BASHER MACKAY!

YE CANNA FIGHT WULLIE—HE'S NO' FIT!
WE'LL TAK' HIS PLACE!
REAL MEAN!

OOYAH!
OUCH!
AAARGH
OOF!

AT LAST—
COME ON, WE'D BETTER GET WULLIE ALANG TAE THE HOSPITAL!

HOSPITAL
THANKS, LADS. I'LL BE SEEIN' YE!

WHIT BRAVERY!
A REAL HERO!
YE WOULDNA CATCH ME GOIN' IN THERE WI' A SMILE!

MRS SIMPSON SENT ME, DOCTOR.
AH, YES, WILLIAM. I WAS TOLD TO EXPECT YOU.

HMM, SHE'S MADE AN EXCELLENT JOB, WILLIAM. YOU CAN TAKE THESE BANDAGES OFF NOW.

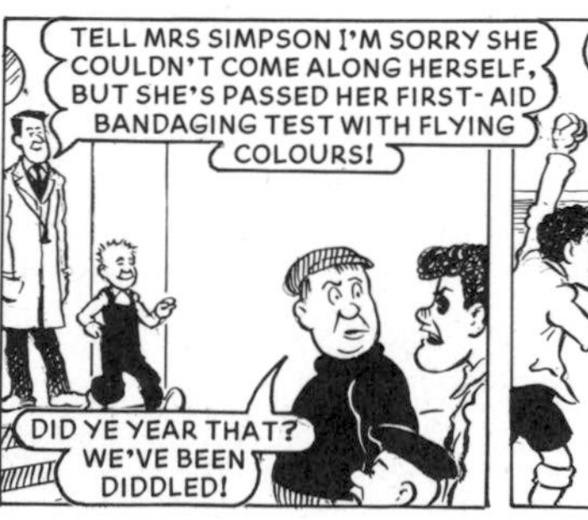
TELL MRS SIMPSON I'M SORRY SHE COULDN'T COME ALONG HERSELF, BUT SHE'S PASSED HER FIRST-AID BANDAGING TEST WITH FLYING COLOURS!
DID YE YEAR THAT? WE'VE BEEN DIDDLED!

COME BACK, YE WEE NYAFF!
NAE FEARS!

With a son like you-know-who —

There's one thing Pa CAN do!

HI, LADS!
HIYA, WULLIE!

THERE'S MY DAD ON THE GOLF COURSE. HE'S THE CLUB CHAMPION.

FETE
PIE-EATING CONTEST
SEE MY FAITHER, WULLIE? HE'S THE PIE-EATIN' CHAMP!

AYE, AN' MY PA'S THE ARCHERY CHAMP!
ARCHERY CLUB

A' THE LADS HAVE BEEN BOASTIN' ABOOT THEIR FAITHERS. HOW ARE YOU NO' GUID AT SOMETHIN'?

WELL, I'M NO' THAT BAD AN ANGLER . . .

AYE, WELL, YE DID HOOK A BIG ANE THE LAST TIME YE WENT FISHIN' . . .

. . . THE GAMEY'S BOAT!

I'M THE MAIST FEARED BOOLER IN A' THE TOON . . .

NAE WONDER! YE'RE SO FAR AFF THE LINE, YE BOOL FOWK OVER!

IT'S THE SCHOOL PICNIC THE MORN — I JIST HOPE YE DINNA SHOW ME UP!

AT THE PICNIC—
AND NOW FOR THE FATHER'S RACE . . . READY, STEADY . . . GO!

BOB'S DAD
SOAPY'S DAD
ECK'S DAD
WULLIE'S DAD
10

THE WINNER!
EASY

JINGS, PA, WHAUR DID YE LEARN TAE RUN LIKE THAT?

CHASIN' YOU A' YEAR, YE WEE SCAMP!

WE'RE THE CHAMPS!

This fun run calls for fancy dress —

What's Wullie's choice? You'll never guess!

I'M TRAININ' FOR THE FUN RUN!
FUN RUN ALL COMERS WELCOME

A'BODY WEARS FUNNY OUTFITS. WHIT WILL I WEAR?

I COULD GO AS A DUG . . .

BUT—
AYE, AYE . . . A CUSTOMER!
DOG CATCHER

DOG POUND
LET ME OOT O' HERE. YE KEN FINE I'M NO' A REAL DUG!
AYE, BUT I'M GETTIN' MY AIN BACK FOR THE TIME YE "BORROWED" MY NET TAE GO FISHIN'!

NAH, I'M NO' RISKIN' A DUG COSTUME!

MEBBE FAT BOB AN' ME COULD GET DRESSED UP AS A CUDDY!

BUT—
PUFF! THIS IS HARD WORK!

NAE WONDER! I'M PULLIN' BOB!

THAT'S OOT! BUT I COULD GO AS A GORILLA!

I COULD EAT BANANAS TAE LOOK REALISTIC!
FINISH

THE WINNER!
FINISH
AWA'! YOU'RE DISQUALIFIED!

LOOK—A' THE OTHER RUNNERS HAVE SLIPPED ON THE BANANA SKINS YOU DROPPED!

I COULD TRY RUNNIN' ON STILTS . . .

I CAN TAK' BRAW BIG STEPS.

ACH, I FORGOT ABOOT THIS BRIDGE!

I KEN WHIT I CAN WEAR!

NEXT DAY, AT THE RACE—
HERE—YE'RE JIST WEARIN' YER DUNGAREES! WHIT'S THAT MEANT TAE REPRESENT?
FUN RUN

IT'S EASY—I'M THE OVERALL WINNER!

Wull likes it when the sun beats doon —

But see what makes him change his tune!

JINGS, IT'S A SCORCHER O' A DAY, MA!

I'LL GO AN' SEE HOW THE AULD LADS' DRAUGHT CONTEST IS GETTIN' ON!

ACH, A'BODY ELSE HAS GOT THE SAME IDEA! I CANNA SEE NOW!

THIS IS BETTER!

BUT—
CRACK!
JINGS!

GET OOT O' IT!

I'LL GIE YE A HAND TAE PICK UP THE LITTER, MR GRANT!
THANKS, WULLIE!

HULLO, MR McKAY. IS YER BAND PLAYIN' IN THE PARK TODAY?
AYE, IN ABOOT TEN MEENITS ...HEY, MIND THAT SPIKE!

WAIL
CRIVVENS!
HISSSS

DINNA UPSET YERSEL', AIRCHIE. WE'LL GET THEM SORTIT IN TIME FUR THE TATTOO!
LAST FLING

MAW, MA ICE LOLLIE'S DRAPPED AFF ITS STICK!
PARK

PARK
HELP!
SKID

OOF!

WEE MONKEY! WATCH WHAUR YE'RE GOIN'!
FROST & CO

JINGS, WULLIE, THAT'S AN AFFY LANG FACE FUR SUCH A BONNY DAY!

BONNY DAY? HMPH! I'VE HAD TROUBLE WI' DRAUGHTS, BURST PIPES, ICE, AND FROST!
IN JULY?

THIS ISNA FUR THE WEATHER—IT'S ME IN DISGUISE!

Nae wonder Wullie's feeling glum —

It seems Eck's BIGGER than oor chum!

TIME I MEASURED MASEL' AGAIN.

HERE WE GO!

HELP! I'VE SHRUNK! I'M AN INCH SMA'ER!

IT'S A' THAE BATHS MA MAK'S ME TAK', AND A' THE RAIN!
WULLIE'S HOOSE

THIS IS AFFY . . .

HI, WULLIE!

AARGH! IT'S WEE ECK, ABOVE ME! I'M STILL SHRINKIN'!

JINGS, WHIT'S WRANG WI' HIM?
?
WORRIED SICK

I'LL GO FOR A SWIM. MEBBE THE EXERCISE'LL MAK' ME START GROWIN' AGAIN.
SWIMMING POOL

SMASHIN'! I'LL BET I'M BIGGER NOW.

IN THE CHANGING ROOM
HELP! I'M EVEN SMA'ER NOW!

HEY! YOU'VE GOT THE WRANG DUNGAREES!

CHEEK!
PHEW!
WAY OUT

I'LL AWA' AN' MEASURE MYSEL' AGAIN. MEBBE I'M BACK TAE NORMAL.

BUT—
IT'S NAE GUID— I'M STILL SMA'ER!

GLOOM
JINGS, WHIT'S WRANG WI' YOU, WULLIE?

IT'S AFFY, MA. I MEASURED MYSEL' AND I'VE SHRUNK.

NA, NA, YE HAVENA SHRUNK. IT'S THE WARDROBE THAT'S HIGHER!
I GOT YER FAITHER TAE FIT THAE BIG CASTORS TAE IT SO THAT I COULD MOVE IT FOR CLEANIN'.

THAT WISNAE FUNNY.

A task for Wull? Well, help m'bob —

He's had grand practice for this job!

THAT WIZ MR McDONALD ON THE PHONE, WULLIE. IF YE WANT TAE EARN SOME MONEY AND A BRAW FEED, YE'VE TAE GO ROOND TAE SEE HIM.

I'M ON MY WAY!
WULLIE'S HOOSE

I WONDER WHIT HE WANTS ME TAE DAE?
McDONALD

HE'S TAKIN' A LANG TIME TAE ANSWER THE BELL!

FIVE MINUTES LATER—
OH, THERE YE ARE— THE BELL'S NO' WORKIN'.

MR McDONALD'S AWA' INTAE TOON, BUT YE'VE TAE PICK UP A PARCEL AT WISHART THE TAILOR'S AN' MEET HIM AT THE TOON HALL.

LATER—
MR McDONALD SAYS I'VE TAE COLLECT A PARCEL.
OH, AYE, JUST WAIT A MINUTE.

THAT'S TEN MINUTES I'VE BEEN WAITIN' HERE.

SORRY TAE KEEP YE—I COULDNAE FIND THE PARCEL AT FIRST.

THE TOON HALL'S ABOOT TWA MILES AWA' AN' I'VE BEEN WAITIN' SAE LANG ON A'BODY I'D BETTER TAK' THE BUS.

STOP
ACH, WHIT A SCUNNER—THIS BUS IS AYE LATE!

LATER—
HERE IT COMES!
ABOOT TIME!

HERE AT LAST!

CAN I SEE MR McDONALD?
WAIT HERE AN' I'LL GET HIM.
CARETAKER

HE'S TAKIN' HIS TIME.
TAP! TAP!

SORRY TAE KEEP YE WAITIN'—I COULDNA FIND HIM.

I'M GLAD YE COULD COME!

OPEN THE PARCEL.
MICHTY—A PENGUIN OUTFIT.

IT'S THE BOOLIN' CLUB ANNUAL DINNER, AN' I WANT YOU TAE BE A WAITER.

A WAITER? I'VE DONE NOTHIN' BUT WAIT SINCE I HEARD ABOOT THIS JOB!

ACH! I DID IT ONYWAY— EFTER A', I'D HUD PLENTY PRACTICE!

Roses are red, violets are blue —

Wullie's flower goes west, with a giant "Aaah-choo!"

IT'S MA'S BIRTHDAY—I THINK I'LL BUY HER SOME FLOWERS.
1983

TWELVE PENCE . . . SMASHIN'! I'LL GET HER A BRAW PRESENT!

FLORIST
I'LL TAK' TWA BUNCHES O' THAE ROSES AN' TWA OR THREE O' THAE YELLOW FLOWERS.

THAT'LL BE THREE POUNDS TWENTY, PLEASE.
WHIT?

HMPH! ONE MEASLY FLOWER! YE DINNA GET MUCH FOR TWELVE PENCE THESE DAYS!

JINGS, HERE COMES FAT BOB!

OH, ER, HELLO, BOB. HAE A SNIFF O' MY BONNY FLOWER!

AWA'! YE CANNA CATCH ME WI' THAT AULD SQUIRTIN' FLOWER TRICK!
PHEW!

HELP! HERE COMES P.C. MURDOCH NOW! I CANNA LET HIM SEE ME CARRYIN' A FLOWER!

HERE, PRIMROSE—TAK' THIS!
OOH, WILLIAM—THANK YOU!

FINE DAY, MR MURDOCH.
AYE, IT IS THAT, WULLIE!

HE LOVES ME, HE LOVES ME NOT, HE LOVES ME . . .
HELP! MY BONNY FLOWER!

HMPH!
GRR!

CONCERN
AHHHHHH

CHOOOO!

SORRY, WULLIE, THIS LOAD O' PEPPER MADE ME SNEEZE!
GROCER
PEPPER
SNEEZE? HMPH! IT BLASTED A' THE PETALS AFF MY BIRTHDAY PRESENT TO MA!

YE'D BETTER COME INTAE MY SHOP AND PICK ANOTHER PRESENT.
PEPPER

LATER—
IT'S A'RICHT, FOLKS—I GOT THE PERFECT FLOUR FOR MA!
TCH, THAT'S NOT THE WAY TO SPELL FLOWER, WULLIE!

WHA SAYS IT'S NO'?
AULD MILL
FLOUR

MA MADE A SMASHIN' BIRTHDAY CAKE WI' THAT FLOUR!

Mirror, mirror, on the wall —

Who's the luckiest lad of all?

AUCTION ROOM
HERE'S FIFTY PENCE. TAK' THIS MIRROR HAME FUR ME, WULLIE.

BE CAREFUL WI' THAT MIRROR, LADDIE. DINNA BREAK IT OR YE'LL GET SEVEN YEARS' BAD LUCK.

JINGS! I'LL BE CAREFUL!

BUS STOP
MICHTY! WHIT A CONCEITED LADDIE THON WULLIE IS. CARRYIN' A MIRROR IN FRONT O' HIM TAE SEE HIMSEL' IN.

HMPH! I'LL TURN IT ROOND THE ITHER WAY!

GRR!

CRIVVENS! YE CANNA DAE THAT! YE MICHT BREAK THE MIRROR. AWA' YE GO, YE WEE MIDDEN!

I'LL CARRY IT ALONG ON MY HEID, LIKE THIS!

SQUAWK! QUACK!
JINGS, THAT DAFT DUCK THINKS IT'S A POND!

AWA' YE GO, YE STUPID DUCK!

I CANNA BE WRONG THIS TIME, SURELY.

HELP!
TRIP

THIS IS HANDY. MRS McRAE'S HOOSE IS AT THE FOOT O' THIS BRAE.

AARGH!

SORRY MR McRAE. YER WIFE TELT ME TAE TAK' THIS MIRROR HAME, BUT NOO I'VE BROKEN IT!

THAT'S A'RIGHT, WULLIE—WE JUST WANTED IT AS A PICTURE FRAME!

I'LL GIE YE ANITHER TWENTY PENCE. ONCE YE'VE CLEANED UP THAT MESS!

IF THE REST O' THE SEVEN YEARS' BAD LUCK IS LIKE THIS, I'LL BE A MILLIONAIRE!
JINGLE

When it comes tae swops —

Oor Wullie's tops!

THIS IS POCKET MONEY DAY!

I WONDER WHIT I'LL BUY?
SWEETS

SMASHIN'!

WULLIE! DINNA YOU BE EATIN' THAT GIANT LOLLY OR YOU'LL NO' BE ABLE FOR YER DENNER!
AW . . .

JINGS, I COULD FINE DAE WI' A WEE LICK!

THAT'S A BRAW LOLLY, WULLIE. SWAP YE MY POKE O' CHOCOLATE RAISINS FOR IT!

YE'RE ON!

I'M AFFY PARTIAL TAE CHOCOLATE RAISINS! SLURP!

HI, WULLIE, WHIT'S THAT YE'RE EATIN'?
CHOCOLATE RAISINS.

SWAP YE MY STICK O' ROCK FOR THEM.
DONE!

I LIKE CRUNCHY ROCK!

HELLO, WULLIE! HOW'D YE LIKE TAE SWOP YER ROCK FOR THIS BAG O' AIPPLES?

A'RIGHT! I'M AFFY FOND O' AIPPLES.
TA!

I'LL JIST HAE TIME FOR AN AIPPLE OR THREE AFORE MY DENNER!

HELLO, BOB! WHIT'S WRANG WI' THE LOLLY, THEN?

THERE'S NOTHIN' WRANG WI' IT. BUT MY MITHER SAYS AH'VE NO' TAE EAT SWEETIES AFORE MY DENNER.

I'M STARVIN'! YE WOULDNAE LIKE TAE SWOP THAE AIPPLES FOR THE LOLLY?
OKAY!

LATER—
MY, YE'VE STILL GOT THE WRAPPIN' PAPER ON YER LOLLY. GUID LAD! COME AWA' IN FOR YER DENNER!

BUT—
I'M SORRY, MA—I'M NO' HUNGRY. I CANNA FINISH IT AFF! I THINK I'LL JIST GO AN' SIT DOON.

PUIR WEE SOWEL! HE MUST BE SICKENIN' FOR SOMETHIN'. I COULD UNDERSTAND IT IF HE'D BEEN EATIN' A' MORNIN', BUT HE HASNAE EVEN TAKEN THE WRAPPIN' PAPER AFF THAT LOLLIPOP!

RAISINS, ROCK, AIPPLES . . . DINNA ANY O' YOU LOT CLIPE ON ME!

This bobby's slick and fast and clever —

But will he beat Oor Wullie? Never!

6
+8
17

WATCH ME HIT THAT TIN CAN!

MISSED! JINGS, I'VE KNOCKED P.C. MURDOCH'S HAT AFF! JIST AS WELL HE CANNA RUN FAST!
TWANG!
BASH!

BUT—
HELP! HE'S GOT ANITHER BOBBY WI' HIM!

GOT YE!

HEH-HEH! P.C. BLACK IS LEARNIN' THIS BEAT WI' ME, WULLIE.
AYE, AND I WIS A CHAMPION SPRINTER IN THE POLICE SPORTS TEAM!

LATER—
AYE-AYE! WHIT'S THIS THEN?
NO FISHING
AW, JINGS—NO' HIM AGAIN!

TIME TAE GO!
NO FISHING

HO-HO! THAT'S FOOLED HIM!

BUT—
CRIVVENS! HE'S LOUPED THE BURN!

AYE, I WIS THE LONG-JUMP CHAMPION AS WELL!
HMPH!

THAT NEW LAD'S SO FAST THEY SOON WINNA NEED YOU, MR MURDOCH. I SUPPOSE THEY'LL GIE YE EARLY RETIREMENT!
EH? I NEVER THOUGHT O' THAT! I DINNA WANT TAE RETIRE!

MAYBE I CAN HELP. HERE'S WHIT WE'LL DAE . . .

LATER—
AHA! YOU AGAIN!
NO FOOTBALL

I SUPPOSE YOU WERE A FITBA' HOT SHOT AS WELL.
THAT'S RIGHT . . .

. . . I WIS THE POLICE TEAM'S CENTRE FORWARD AND CAPTAIN. WATCH . . .
INNOCENCE

. . . A QUICK DRIBBLE DOON THE RIGHT WING, THEN ANE O' MY FAMOUS CANNONBALL SHOTS . . .

GOAL!
P.C. BLACK! WHAT'S GOING ON HERE?

PLAYING FITBA IN THE STREETS! IT'S A DESK JOB FOR YOU, MY LAD. I'LL LEAVE P.C. MURDOCH IN CHARGE HERE!
WINK!
SHAME!

HO-HO! I'LL MEBBE GET SOME PEACE NOW!

Big pets are fine, but have no fear —

Wee Jeemy's just the ticket here!

COME ON, JEEMY, LET'S GO FOR A WALK!
SQUEAK!

BUT—
HISSS! MEOW! HISSS!
EEK! MAMMY!

SHOO! GO ON—SHOO!

THEN—
PHEW! SAVED!
SNARL! WOOF!

THAT'S ROVER, BOB'S NEIGHBOUR'S DUG. LUCKY HE CAME ALANG TAE SAVE JEEMY! HE'S A REAL HANDY PET—NO' LIKE A DAFT MOOSE!
HMPH!

HE CAN CARRY MY COMIC, TAE—I'D LIKE TAE SEE A MOOSE DAE THAT!
HA-HA!
BAH!

AND A DUG CAN PLAY FITBA WI' YE.
HMM!

THEN—
HELP! THE WIND'S AWA' WI' MY CAP!
WHOOSH!

HA-HA! IT'S LANDED IN GRUMPY GREEN'S GAIRDEN, AND HE'S AT THE WINDIE! YE'LL NEVER GET IT BACK!

GO ON, ROVER! FETCH!

IT'S EASY WHEN YE'VE GOT A REAL PET!

I'D LIKE TAE SEE A MOOSE DAE THAT!

AYE, YOU'RE A REAL PET, ROVER—NO' LIKE THAT USELESS JEEMY!
HUMPH!

COME ON, SOAPY, LET'S TAK' THE BUS HAME.
OKAY!

BUT—
RIGHT—WHA'S PAYIN' FOR THE DUG?
EH? WE'VE NAE MAIR MONEY!
QUICK, JEEMY —INTAE MY POOCH!

HA-HA! NAE MONEY—NAE TICKET! WHA'S GOT THE BEST PET NOW, LADS?

I'D LIKE TAE SEE BOB PIT A DUG IN HIS POOCH!

One wee toot —

Brings the bobbies oot!

THINK I'LL HAE A GAME O' FITBA'!

TROUBLE IS, I'VE NAE BA', NAE REFEREE, AND NAE LADS TAE PLAY WI'!

SOAPY'LL PLAY, AND HE'S GOT A BA'!

IS SOAPY COMIN' OOT TAE PLAY?
HE'S AWA' VISITIN' HIS GRANNY.

ER—WELL—IS HIS BA' COMIN' OOT TAE PLAY?

THE DUG BURST IT!
ACH!

MAYBE IF I GOT STRIPS, I'D GET FOWK TAE PLAY.
ROVERS FOOTBALL CLUB

ANY SPARE STRIPS?
AYE—I THINK WE DO.

HMM! A BIT ON THE BIG SIDE!

TRIP!
I DOUBT THEY'LL NO' DO, WULLIE.

I'LL SEE IF PA WOULD MAK' A GUID REFEREE.

HEY, PA—CAN YE READ THON CAR NUMBER PLATE?

EASY— 'PAG 7235'.
HUH! YOU'RE NAE GUID—A' THE REFEREES I'VE SEEN NEED GLASSES!

HEY! THERE'S A WHISTLE FOR THE REFEREE— THAT'S A START!

PHEEEEP!

WHAUR'S THE CRIME?
JINGS! IT'S A POLICEMAN'S WHISTLE.

THANKS, WULLIE—I MUST HAE DROPPED THAT!

HUH! NAE FITBA' FOR ME.
JUST A MINUTE, WULLIE.

WE'RE A MAN SHORT FOR OOR FRIENDLY MATCH AGAINST THE INVERSNECKIE FORCE THIS AFTERNOON.
I'LL PLAY! I'LL PLAY!

SO—
JINGS! HE'S OWER NIPPY FOR US!

WE WON 7-0!

ARITHMETIC

Whit's the good o' a wellie boot —

If the pond is dry and the tide is oot?

HE'S AWA' TAE GET NEW WELLIES.

SMASHIN'! I'LL HAE TAE TRY THEM OOT!
BOOTS & SHOES

PUBLIC PARK
I'LL HAE A WANDER IN THE POND!

SORRY, WULLIE—IT'S DRAINED FUR CLEANIN'!

WATER! GREAT!

I'LL GET HIM TAE SCOOSH IT ROOND MY WELLIES!

BUT—
PIECE TIME! I'LL GET BACK TAE THE WORKSHOP.

ACH, HE MICHT HAVE LEFT THE KEY FUR ME!

I'LL GO TAE THE BURN— THAT'LL NO' LET ME DOON!
HIC!

AW, NO!
NEARLY BANANAS!

THAT'S AN AWFY DRY SPELL WE'VE BEEN HAEIN'—A' THE BURNS HAVE DRIED UP.
PARCHED PUDDOCK
NO FISHING

JINGS! THIS IS WORSE THAN BEIN' IN THE DESERT.
HOPE!

WAIT A MINUTE— DESERT—SAND— THAT'S IT! I'LL GO TAE THE BEACH!

YIPPEE! THE SEA NEVER GOES DRY OR GETS DRAINED FUR CLEANIN'!

BUT—
HELP! THE TIDE'S OOT—MILES OOT! WHAT A SCUNNER!

I MICHT AS WELL GO HAME—I'LL HAE TAE WALK THOUGH, I'VE NAE MONEY LEFT FUR MY BUS FARE.

LATER—
WULLIE—YE'RE LATE!
Wullie's Hoose

AND YE KEN WHIT NIGHT THIS IS!
AW, NO!

YE'RE HAEIN' A BATH, LIKE IT OR NO'!

TRUST MA TAE FIND WATER!

Wull thinks he's smart, but things go wrong —

When a hungry moggie comes along!

I'M BROKE!

YES, I'LL HAVE THAT ONE!
A VERY NICE STILL LIFE, SIR—AND A BARGAIN AT TWO HUNDRED POUNDS.

TWA HUNDRED POUNDS FOR A PICTER O' SOME AIPPLES! JINGS!

WHAUR'S MY AULD PAINT BOX?

SOON—
I'LL PENT THAT FISH!
FISHMONGER

THERE! NO' BAD, EH? IT LOOKS GUID ENOUGH TAE EAT!
A FISH.

HEY! STOPPIT!
A FISH.

YE WEE MIDDEN! YE'VE RUINED MY PAINTING!

I'LL PENT THAT PLANT.

TCH, THE SUN'S WILTIN' MY PLANT . . .

ACH, SHE'S PULLED THE BLIND DOON!

I'LL DAE A STILL LIFE O' AULD TAM SMART. YE CANNA GET ANYTHING STILLER THAN THAT!

WHIT'S WULLIE UP TAE?

JINGS!
SPLUTTER!
SQUIRT!

TRUST YOU LOT TAE SPOIL MY MASTERPIECE!

AWA'. YE'LL NEVER BE AN ARTIST!
AYE, THE ONLY THING YE'LL EVER DRAW IS YER AULD AGE PENSION!

JUST THEN—
AH, WILLIAM . . . THE VERY BOY!
ART GALLERY

I COULD DO WITH YOUR HELP, WILLIAM.
ART GALLERY EXHIBITION OF RECENT WORKS BY LAURIE VAN-BUS

PERFECT BRUSHWORK, WILLIAM . . . YOU'RE MAKING A BEAUTIFUL JOB OF IT!

NO' A WORD TAE THAE TWA OOTSIDE, FOWKS, BUT I'M HELPIN' OOT BECAUSE THE CLEANER HASNAE TURNED UP!

THERE'S MONEY IN THIS ART BUSINESS RIGHT ENOUGH!

Pa seeks a hobby for his son —

Trust Wull to choose a "smashing" one!

WULLIE'S AWA' PLAYIN' FITBA . . .
BUT—
IN TROUBLE AGAIN?
AYE, BROKE A WINDIE!
LATER—
COME ON, WE'RE GOIN' TAE TRY AND FIND YE A HOBBY— SOMETHIN' THAT'LL KEEP YE OOT O' MISCHIEF!
WE'LL GET PLENTY IDEAS HERE!
PUBLIC LIBRARY
OPENING HOURS
HMPH!

HOBBIES & INTERES
SEE IF YE CAN PICK SOMETHIN' INTERESTIN' FROM THERE, WULLIE.

KARATE! THAT WID BE SMASHIN'!
KARATE

AYE, SMASHIN'S THE WORD! TRY AGAIN!
KARATE
SMASH!
CRASH!
CHOP!

I'D BE A DAB HAND AS A DRUM MAJOR!
MILITARY BANDS

CRASH
NOTHIN' DAEIN'! KEEP LOOKIN'!

HEILAND GAMES! HOW ABOOT THAT?
HIGHLAND GAMES

SMASH!
IMAGINE WHIT WOULD HAPPEN WHEN YOU TRIED TAE FLING THE HAMMER!

HERE'S A BOOK ON STAMP COLLECTING, PA.
STAMP COLLECTING

THAT'S MAIR LIKE IT! NO' EVEN YOU COULD GET INTAE ANY TROUBLE WI' THIS!
STAMP

WE'RE BACK, MA.
THIS IS A SMASHIN' BOOK!

WE'RE A' RICHT NOW. HE WINNA BREAK ANY WINDIES WI' THAT BOOK!

OH, NO?
TRIP!

SMASH!
YEOWPS!
JINGS!

IT'S NO' MY FAULT!

It looks as if this lad's gone saft —

But trust Oor Wullie — he's no' daft!

THERE'S THAT NEW LASSIE—SHE'S JUST MOVED INTAE THE TOON.
SCHOOL
SCHOOL

CAN AH CARRY THESE FOR YOU, ROSEMARY?
OH, THANK YOU, WILLIAM!

CAN AH CARRY THESE FOR YOU, ROSEMARY?
PAY NO ATTENTION TO THOSE TWO IGNORAMUSES, ROSEMARY.

HELP MA KILT! THE DAWSON ROAD GANG!

HI, DOZY ROSIE! HOW'S IT GOING?
TUG!
OWW!

TORMENTING LASSIES IS ONE THING I CANNAE ABIDE!
BIFF!
THUD!

EASY! JUST LIKE KNOCKING THE SKIN AFF A RICE PUDDIN'!

OH, YOU'RE SO STRONG, WILLIAM. MY HERO!
PECK!
OH, HERE, STEADY ON!

WHEN'S THE WEDDIN', WULLIE?
CAN I BE A PAGE BOY?

I'M BLACK AFFRONTED AT THE BEHAVIOUR OF MY FRIENDS, ROSEMARY.
BUT—
OH, WILLIAM, WHAT WILL WE DO? I'VE TO BE HOME EARLY TODAY.
BRIDGE CLOSED FOR REPAIR

ARE YE QUITE COMFY, ROSEMARY?

AH'M SEEING IT, BUT AH'M NO' BELIEVIN' IT!
D'YE THINK WULLIE'S ILL, BOB?

I'M NOT EVEN SPLASHED! YOU ARE CLEVER!

THANK YOU, WILLIAM. HOW CAN I REWARD YOU FOR ALL YOUR HELP?
WELL, YOU KNOW HOW YOUR DAD'S COME TAE BE MANAGER OF THE RIO CINEMA—COULD HE MAYBE LET ME IN FREE TONIGHT?

DAD SAYS JUST TO COME ALONG ANYTIME, WILLIAM.

YE CAN COME DOON TAE THE RIO AN' SEE ME GETTIN' IN FREE IF YE LIKE—OCH AYE, YE'VE GOT TAE BE SMART TAE WORK A STUNT LIKE THAT, EH?
THE CRAFTY WEE TWISTER!

THAT EVENING—
AH'M LOOKIN' FORWARD TAE THIS—" SIX-GUN SAM "—" THE UMPIRE STRIKES BACK "—FILMS EVERY WEEK—YEAR IN, YEAR OOT!

HELLO, SON, AH'LL LET YE IN FOR NOTHING, BUT AH'M NO' SAE SURE YE'LL ENJOY IT—YE SEE, WE WENT OVER TAE BINGO THIS WEEK.
BINGO?

ROSEMARY CAN CARRY HER AIN BOOKS FROM NOW ON!

Oor Wull knows where the money is —

He's opened up a scrapyard biz!

I'M BROKE!

JINGS, LOOK AT THAT FLASHY CAR. THERE MUST BE MONEY IN THIS SCRAP BUSINESS!
I.M. LODED
SCRAP MERCHANT

I'LL SEE IF I'VE GOT ONY SCRAP!
WULLIE'S SHED

THERE'S THIS AULD PRAM FOR A START...

...AND AN AULD ROLLER SKATE!

...AND AN AULD COOKIN' POT AND A TRAY!

HERE WE GO!
WULLIE'S SCRAP BIZNESS

HI, BOB! WHIT DAE YE THINK O' MY SCRAP MERCHANT BUSINESS?

SCRAP? THIS IS MY KNIGHT'S HELMET AN' MY SHIELD!
EH? AWA'!

GIE'S IT BACK!
NEVER!
BOINGGG!
DONG!

CHEEK!

LATER—
HI, SOAPY! ANY JUNK FOR MY SCRAP BUSINESS?

JUNK? THIS IS MY AULD SKATE! I WONDERED WHAUR IT HAD GOT TAE!

IT'S MINE!
'SMINE!

THAT'LL TEACH YE!

ACH, WELL, I'VE STILL GOT THE PRAM!

BUT—
LOOK, LUCINDA, OUR OLD DOLL'S PRAM!
YES, PRIMROSE, THE ONE WILLIAM BORROWED FOR LAST YEAR'S PRAM RACE!

NAUGHTY BOY— GIVE IT BACK!
CLONK!
OOYAH!
THAT'S RIGHT—YOU TELL HIM, PRIMROSE!
SNATCH!

?
JINGS! NAE WONDER THEY'RE CALLED SCRAP MERCHANTS—

—I'VE HAD NOTHIN' BUT SCRAPS SINCE I STARTED!

Here's Wull the tracker. See him seek —

A big, fierce bird, wi' an ugly beak!

HE'S AWA' TAE THE PICTURES WI' WEE ECK.

REX CINEMA
TO DAY
TIMO THE TRACKER
GREAT RED INDIAN FILM
THAT WIZ SMASHIN'. I WISH I WIZ A TRACKER LIKE TIMO.
ACH, THERE'S NOTHIN' TAE IT!

I'M A MASTER TRACKER!
AWA'— YE'RE HAVERIN'.

LOOK!
JINGS, WHIT IS IT?

IT'S THE TRACKS O' A PENGUIN—IT MUST'VE ESCAPED FRAE THE PARK ZOO!
IZZATSO?

IT WENT THIS WAY. COME ON!

HO-HO! LOOK, THERE'S YER PENGUIN!

IT'S AFFY GUID O' YE GOIN' IN TAE CLEAN OOT THE POND, AIRCHIE.
ACH, IT'S FINE PRACTICE, TAM!

WHIT'S THIS?

AYE, NAE DOOBT ABOOT IT—A FEATHER FRAE THE RARE PURNIE-TAED EAGLE!

HERE'S MAIR O' THEM. FOLLOW ME, ECK!

WE'D BETTER GO EASY, ECK... WE'RE EFTER AN AFFY FIERCE BIRD—WI' A RICHT UGLY BEAK!

SO! I'VE GOT A BIG BEAK, EH?
THERE'S YER EAGLE—A FEATHER DUSTER!
CHEEKY WEE DEILS!
COME ON, WULLIE—RUN!

CRIVVENS—JIST LOOK AT THAE FOOTPRINTS!

HMM! VERY INTERESTIN'. THE MAN THAT MADE THAE TRACKS HAS GOT GREY HAIR, BLUE EYES, AND HAS TWA BILED EGGS FUR HIS BREAKFAST EVERY DAY!
EH? HOW CAN YE TELL A' THAT?

COME ON—HE WENT THIS WAY!
JINGS, I CANNA EVEN SEE ANY FOOTPRINTS NOW!

FOLLOW ME—WE'RE GETTIN' CLOSER!
HOW CAN YE TELL?

THERE YE ARE—WHIT DID I TELL YE!
WULLIE!

WHIT A FRICHT YE GAVE ME—I THOUGHT IT WIZ THE SERGEANT! YE FLY WEE MONKEY—YE KEN FINE I COME HERE EVERY AFTERNOON FOR A FLY PUFF!
SO THAT'S HOW YE TRACKED HIM!

HO-HO! ME HEAP BIG JOKER!

An earthquake, or a battle scene?

No, it's just Wullie's putting green!

WHIT WOULD YE LIKE FOR PUDDIN'? YE CAN HAE AIPPLE PIE, OR ICE-CREAM—OR THERE'S A TIN O' PRUNES.
I'LL HAE THE PRUNES!

FUNNY—I DIDNA THINK WULLIE LIKED PRUNES.

I DINNA!

BUT I NEEDED THIS!
PRUNES

CAN I MOW THE FRONT GRASS, PA?
EH? SURE!

WHIT'S GOT INTO HIM?

THERE! PERFECT!

I'LL NEED A TROWEL NOW.
MICHTY! SINCE WHEN WAS WULLIE KEEN ON GARDENING?

SOON BE READY!

THERE! PERFECT!

HOW'S THAT?
WULLIE'S PUTTING GREEN 5P A ROUND

SO—
IN YE GO, LADS!

BUT—
FORE!

I'VE DONE WELL!

I WONDER HOW WULLIE'S GARDENIN' IS GETTIN' ON?

MY FLOOERS! MY LAWN! MY GREENHOOSE!

THIS'LL PAY FOR SOME O' THE DAMAGE.

CHEER UP, WULLIE . . .
Wullie's Hoose

LOOK WHIT I'VE BOUGHT YE!
PRUNES

HMPH!

Surprise, surprise —

Here's a car that flies!

I'M AWA' TAE COLLECT CAR NUMBERS!

I'LL GET THEM WHEN THEY STOP AT THE TRAFFIC LIGHTS.'P...S...T...'

BUT—
HEY, WAIT! I HAVENA FINISHED!
VROOM!

'...5...8...'
LITTER

...AARGH!
CRASH! BANG!
OOW!
LITTER

LATER—
THERE'S A PARKED CAR. IT WINNA DRIVE AFF AFORE I'VE GOT ITS NUMBER!

AHEM—!
'U...X...Y...'
UXY

HELP! WHAUR'S IT GONE?
UXY

SORRY, WULLIE!
ACH, THAT'S NO' FAIR!

THEN—
RIGHT—NAE CRANES, AND NAE TRAFFIC LICHTS... I'LL GET THIS ANE!

'L...M...S...'

GLUB!

HMPH!

DRIVERS HAE TAE SLOW DOON FOR THIS BUMPY CORNER—I'LL BE A'RICHT HERE!

BUT—
JINGS, HIS NUMBER PLATE'S SHOOGLED AFF!
BUMP!
CLATTER!

STOP! WAIT!

PHEW! HE'S STOPPED AT LAST! PUFF! HEY, MISTER!
NXB 74

THANKS, SON! HERE, TAKE THIS!
JINGS, TA!
NXB

HO-HO. THAT'S THE BEST WAY TAE COLLECT CAR NUMBERS!

Oor Wullie proves that he's no fool —

He wears a scarf when he wants to stay cool!

BRR! IT'S FREEZIN'!
HERE, PIT ON THIS SCARF TAE KEEP WARM.
BUT MAW—I DINNA LIKE SCARFS . . .
DINNA ARGUE . . . PIT IT ON AN' KEEP WARM!
MUTTER . . . MUTTER . . .
HI, WULLIE! WHIT ABOOT A GAME OF KEEPIE-UP?
I BURST THE BA' YESTERDAY.
NEVER MIND— WE'LL MAK' A CLOOTIE BA' WI' MY SCARF.
HEID IT BACK, BOB!
ACH, MISSED IT!
I'LL GET IT BACK!
BUT—
QUICK, BOB—RUN!
MAMMY!
HALF A MILE ON—
PHEW! WE'LL PLAY SOMETHIN' ELSE!
AYE! HOW ABOOT TUG-O' WAR?
HEAVE!
HELP! IT'S SLIPPED!
OOYAH!
THUMP!
OOH! MY PUIR CORNS!
AFF AT THE TOOT!
PHEW. I'M BILIN'!
THIS IS SAFER, BOB!
AYE, MY TURN NEXT!
ME AS WELL!
BUT—
CRACK!
HOI!
SPLATT!
A TRIFLE UPSET
RUIN MY FLOWER-BED, WID YE?
JINGS, THIS SCARF DISNAE HALF MAK' THINGS HOT FOR ME!
LATER—
AH, SO YOU'VE DECIDED TAE WEAR THE SCARF AND KEEP WARM.
KEEP WARM? HMPH! I'M WEARING IT TAE STAY COOL!

Clean and tidy? Not for long —

Right from the start his plans go wrong!

THAT'S THE FIFTH FECHT YOU'VE BEEN IN THIS WEEK!

AND NAE MAIR FECHTS, D'YE HEAR! I WANT TAE SEE YE COME BACK CLEAN AND TIDY FOR A CHANGE!

LATER—
CRIVVENS, IT'S TATTY McTURK! HE'S WAITIN' TAE BELT ME FUR PITTIN' A SPIDER IN HIS PIECE AT PLAYTIME!

AH'LL NIP OWER THE WA' AN' TAK' A SHORT-CUT HAME ACROSS TAM BLACK'S GAIRDEN!

CRIVVENS! I FORGOT TAM GOT A NEW DUG!

HELP!

ACH, IT'S RIPPED MY DUNGAREES!

McTURK WINNA SEE ME IF I WALK ALANG AHENT THE SCAFFIES' LORRY!
REFUSE DISPOSAL

BUT—
RIGHT, SANDY, THAT'S US FINISHED. LET'S GET BACK TAE THE DEPOT!

SPLUTTER! COUGH!

HMPH! THAT DIDNA WORK. I'LL HAE TAE THINK O' SOMETHIN' ELSE!

CAN I BORROW YER DOLL'S PRAM COVER, ANNABEL?

I'LL DISGUISE MASEL' AS AN AULD WIFIE IN A SHAWL!

TEE-HEE! SMASHIN'! HE CANNA SEE ME THROUGH THIS COVER!

BUT—
OOYAH! I CANNA SEE EITHER!
WULLIE

WULLIE? IS THAT YOU? I HOPE YE HAVENA BEEN IN ANY FECHTS!

NO, MAW!
GUID! YOU'LL BE CLEAN AND TIDY FOR ONCE!

CLEAN AN' TIDY? HMPH! THAT'S THE LAST TIME I STAY OOT O' FIGHTS!

HE'S TAE HAE A BATH!

SILENCE

Wull's up to tricks, so Murdoch thinks —

Aye, he's the champion of HIGH jinks!

I HAVENA SEEN WULLIE LATELY . . .

RIGHT, LET'S HAE SOME PRACTICE, BOB!
AYE, AYE— I RECOGNISE THAT VOICE!

HO-HO! THIS WINNA HALF FOOL AULD MURDOCH, BOB!
SO!

THEY'RE UP TAE SOME-THING— BUT WHAT?

MEBBE THEY'RE AWA' TAE PLUNDER TAM GREEN'S AIPPLE TREES!

NA, THEY KEN AULD TAM'S GOT A NEW DUG!

THE FITBA FENCE— THAT'S IT!
TODAY
ROVERS
V
UNITED

I'LL CATCH THEM AT IT!

BUT—
ACH, THE ROVERS ARE PLAYIN' AWA' THIS WEEK!
ROVER'S PARK
ROVERS
V
UNITED
AT
PROSSIE PARK

I JIST DINNA TRUST THAT LADDIE— HE'LL BE UP TAE SOME-THING, THAT'S FOR SURE! BUT WHAT?

REMOVE UNWANTED HAIR with Alf
JIST THINK O' A' THE MISCHIEF HE COULD GET UP TAE . . .

THEN—
EH?
OFFICER! TWO MEN ARE HOLDING UP A BANK ROUND THE CORNER! QUICK!

I'M ON MY WAY, SIR!

RIGHT, SAMMY—YOU HOLD UP THE SIGN WHILE I FIX IT TO THE WA'!
BANK
EH? AW, NO!

BA
HA HA HA! HEE HEE!

HO-HO! FOOLED YE THAT TIME!

YE WEE DEILS!
RUN, BOB!

ACH, I'M SLIPPIN'!

There's trouble in store —

For this wee caber thrower!

AH, WULLIE—I'VE SOMETHING HERE FOR YER FAITHER.

JINGS, WHIT DOES PAW WANT WI' THIS THING? MEBBE HE'S PLAYIN' LONG JIM SILVER IN THE BOOLIN' CLUB PANTO.

HAR, JIM, ME LAD . . . SHIVER ME TIMBERS . . .

OOYAH!

HMM, WHIT ELSE COULD IT BE?

RIGHT—WHIT DOES THAT REPRESENT?

HIGH 'TEA'! GET IT? HO-HO!

MEBBE PAW'S GOIN' IN FOR TOSSIN' THE CABER!

HEAVE . . . CRIVVENS!
OOYAH!

THAT WISNAE SUCH A GUID IDEA!

IT WOULD MAK' A FINE POLO STICK! GIE'S A SHOTTIE O' YER BIKE, ECK.

. . . AND HERE COMES PRINCE WILLIAM SHOOTIN' FOR GOAL.

OH, JINGS!
CRASH!

CHEERIO, ECK!

AT LAST—
AH, I'VE BEEN WAITIN' FOR THIS!
WHIT IS IT, PAW?

IT'S A NEW HANDLE FOR MY GAIRDEN SPADE. AND YOU CAN BE THE FIRST TAE TRY IT OOT!

WHIT A DAFT THING TAE BUY!

FED-UP

These boasters get a proper shock —

They canna beat Oor Wullie's 'clock'!

WHISSAT NOISE?
BLEEP BLEEP

HI, WULLIE! SEE MY NEW, PERSONAL METAL DETECTOR . . . I'M GOIN' TAE FIND A FORTUNE!

I'M ON TAE SOMETHING! MEBBE IT'S A COIN!
BLEEP BLEEP

A BOTTLE TOP! SOME FORTUNE!

HI, ECK! WE'RE SEARCHING FOR TREASURE . . .

WHISSAT?
BLEEP BLEEP

IT'S MY PERSONAL ALARM!
WHIT'S IT DAEIN' GOIN' AFF JUST NOW?

OH, ER, IT'S TAE REMIND ME TAE GO TAE THE DENTIST IN TEN MEENITS!

HO-HO! WHA WANTS AN ALARM LIKE THAT?

HI, BOB . . .!
DOO-BEE-DOO-DAH . . .

LOOK OUT, BOB!

FEART TAE LOOK!
AARGH!

DID YE NO' HEAR ME SHOUTIN'?
ACH, I WIS LISTENIN' TAE MY PERSONAL RADIO.

WHIT ARE YOU LAUGHIN' AT? YOU DINNA HAE ANY O' THE MODERN GEAR!

I DINNA NEED ANY O' YOUR MODERN GEAR. LISTEN . . .
RUMBLE RUMBLE

THAT'S MY PERSONAL ALARM! IT TELLS ME WHEN IT'S DENNER TIME!

RIGHT ON TIME!

Thanks tae the thaw —

Their hopes melt awa'!

HI, LADS, WHIT DAE YE THINK O' MY SNAWMAN?

CA' THAT A SNAWMAN? I COULD DAE BETTER WI' MY HANDS TIED AHENT MY BACK!

AYE, AYE, WHIT'S GOIN' ON HERE?
AWA'! YE'RE JUST JEALOUS!
HO-HO!

THEY TWA SAY THEY COULD BUILD A BETTER SNAWMAN THAN ME!
SO WE COULD!
CALM DOON. I'LL SETTLE THIS.

EACH O' YE CAN BUILD A SNAWMAN AND I'LL DECIDE WHICH ANE IS BEST.
THAT'S FAIR ENOUGH.

I'LL DAE THE JUDGIN' TOMORROW MORNIN'.
I'LL BUILD MINE AT HAME!
ME TOO!

I'LL SHOW THEM!

SMASHIN'!

BUT—
J. INNES
HELLO, MR INNES.
SORRY, WULLIE, BUT I'LL HAE TAE KNOCK DOON YER SNAWMAN. I NEED TAE GET INTAE MY FACTORY.

IT'S A SHAME.
THAT'S A'RIGHT, I'LL START AGAIN.
INNES

WHY DON'T YOU BUILD IT JUST THERE—IT'LL BE FINE AND SAFE, OOT O' THE WAY.
JINGS, THANKS!

LATER—
THAT'S MY BEST YET!

BUT—
QUICK, WULLIE, MOVE YER SNAWMAN!

TOO LATE!
AW, NO!

THAT'S A SURE SIGN THERE'S A THAW, WULLIE. BUT NEVER MIND—YOU COME WI' ME!

NEXT DAY...
HMM, THAT'S NO' VERY GUID, BOB.
IT MELTED AWA'!

AND YOUR ANE IS AS BAD, SOAPY.
AW, NO, IT'S MELTED TOO!

J. INNES
WAIT TILL YE SEE MINE!
HUH, IT'LL HAVE MELTED, TOO!

MR INNES LET ME KEEP MINE IN HIS COLD STORE A' NICHT!

THE WINNER!

Doos and dugs and sticky ceilings

Dinna half upset Wull's feelings!

I'VE JIST GOT MY POCKET MONEY!

SWEETS
A POKE O' PEANUTS, PLEASE.
HERE YE ARE, WULLIE!

I LOVE THROWIN' THEM UP AND CATCHIN' THEM IN MY MOOTH!

HUP!

?
EH? WHAUR ARE THEY?

ACH, THAE DOOS GOT THEM!

NAE DOOS HERE!

HUP!

DOON YE COME!
HELP!
WATCH WHAUR YE'RE GOIN'!

BAH!

I'LL GO INSIDE. NAE DOOS OR DUGS THERE!

READY, STEADY— HUP!

EH?
STUCK

YE WEE SCAMP! I'VE JIST PENTED THAT CEILING!

HELLO, WULLIE. WHIT'S THAT YE'VE GOT?
PEANUTS!

PEANUTS, EH? OH, I USED TAE LOVE THEM WHEN I WIS A WEE LAD.

I WIS A DAB HAND AT CATCHIN' THEM IN MY MOOTH!

SMASHIN'!

YE SHOULD TRY THAT SOMETIME —IT'S BRAW FUN!
MY LAST PEANUTS!

I'M BUYIN' TOFFEES NEXT WEEK!